Daniel-J. Crisafi N.D., M.H., Ph.D est l'un des naturopathes les mieux connus au Canada. Il est diplômé en naturopathie de l'*Institut naturopathique du Québec*. Il détient un doctorat américain en naturopathie, il a un baccalauréat, une maîtrise ainsi qu'un Ph.D. Il est reconnu comme *Maître Herboriste* par le prestigieux *Dominion Herbal College* de Colombie-Britannique.

Membre du *Collège des naturopathes du Québec* et de l'*Association des naturopathes diplômés du Québec*, il agit à titre de consultant auprès de plusieurs entreprises nord-américaines spécialisées en alimentation et en nutrition. Il prononce des conférences et dirige des séminaires professionnels au Canada et aux États-Unis.

Ancien vice-président de l'*École d'enseignement supérieur de naturopathie du Québec*, professeur à l'*École d'enseignement supérieur de naturopathie du Québec* et à l'*Académie de phytothérapie du Canada*, il consacre présentement la majorité de son temps aux conférences, à l'éducation et à la recherche dans le domaine de la santé naturelle.

Daniel-J Crisafi a publié quatre ouvrages dont: *Candida albicans* paru chez ÉdiForma.

Candida albicans

Daniel-J. Crisafi ND, PhD

«Je tiens à remercier Martine de son amour, sa patience et son soutien»

Note importante: Ce livre veut informer un public de plus en plus soucieux et prévenir la maladie. Il ne veut pas se substituer aux soins éclairés d'un professionnel de la santé. En effet, nous n'encourageons pas l'auto-diagnostic ou encore l'auto-traitement. En cas de maladie, nous vous recommandons de consulter un praticien diplômé.

Candida Albicans

ISBN: 2-920878-63-8

Dépôt légal: 1er trimestre 1995 – BNQ

Je dédie ce livre aux héros de la santé, aux naturopathes, au personnel des magasins de produits naturels et à tous ceux qui ont prédit des décennies à l'avance les grandes découvertes des sciences nutritionnelles et biomédicales modernes.

Depuis le milieu du siècle dernier, ces érudits ont déclaré avec force qu'une alimentation saine doit consister en fruits et en légumes frais, en céréales entières et en peu de gras animal. Plusieurs ont dénoncé le tabagisme près de cent ans avant que les autorités médicales ne reconnaissent le problème.

Malgré une certaine validation scientifique, ces érudits ne reçoivent pas le crédit qui leur est dû. Au contraire, certains naturopathes sont condamnés par des associations pharmaceutiques et médicales parce qu'ils préconisent l'utilisation de suppléments alimentaires à titre préventif.

Y a-t-il une pharmacie aujourd'hui qui ne dispense pas de vitamines? Y a-t-il un médecin qui ne recommande pas occasionnellement des suppléments de calcium? Et que penser des diététistes conventionnels qui *adoptent* maintenant le pain de blé entier et la réduction des matières grasses?

Certains magasins d'aliments naturels et naturopathes ont suggéré que le jus de carottes puisse prévenir le cancer et ce, bien avant que le National Cancer Institute découvre que la bêta-carotène contribue à prévenir le cancer.

Les naturopathes et le personnel des magasins d'aliments naturels préconisent depuis longtemps une alimentation à tendance végétarienne. Or, ce n'est que récemment que la science médicale reconnue admet la valeur de ce type de régime.

Depuis le début du siècle, les naturopathes nous avertissent d'être prudents vis-à-vis notre environnement. La plupart des magasins d'aliments naturels offraient des savons biodégradables des années avant que le terme *biodégradable* soit inventé.

Malgré une conception erronée, les magasins d'aliments naturels et les naturopathes ne sont pas des gens vivant dans un état de léthargie intellectuelle issue d'une philosophie *granolesque*. Ils ont été, et plusieurs demeurent, à l'avant-garde des plus excitantes découvertes des sciences médicale et nutritionnelle modernes.

Préface du Dr William Crook

Vous sentez-vous mal de partout? Etes-vous incommodés par la fatigue, les maux de tête, la dépression et les pertes de mémoire? Souffrez-vous de symptôme causés par des troubles liés aux organes génitaux incluant des troubles de prostate, perte de l'appétit sexuel et/ou impuissance, tension prémenstruelle, irrégularité menstruelle, vaginites à répétition, endométriose ou infertilité ?

Etes-vous incommodés par des troubles digestifs, musculaires et des articulations douloureuses, la sclérose en plaques, l'urticaire chronique, le psoriasis ou autre problème de peau?

Si votre réponse est *oui* à n'importe laquelle de ces questions et si vous avez pris beaucoup d'antibiotiques, la pilule contraceptive ou des corticostéroïdes, il y a des chances que vos ennuis de santé soient reliés à une levure courante et habituellement bénigne: le candida albicans.

Depuis des siècles, cette levure est reconnue comme la cause de troubles vaginaux, cutanés et d'éruptions buccales. Néanmoins, ce n'est qu'après les observations brillantes du docteur C. Orian Truss que les médecins (et les autres) se rendirent compte que cette *créature bénigne* pouvait prendre de l'importance en causant autant d'ennuis.

Il y a vingt-cinq ans le docteur Truss, allergiste à Birmingham, remarqua pour la première fois que des infections locales au candida albicans étaient reliées à d'autres parties du corps. Le docteur Truss fit part de ses découvertes lors d'une conférence médicale à Toronto en 1977.

Il les rapporta également dans une série de quatre articles

publiés dans le «Journal of Orthomolecular Psychiatry» au Canada en 1978.

Encore récemment, seuls quelques médecins avaient approfondi le sujet de l'interaction levure/organisme humain. A compter de 1982, les écrits au sujet des maladies liées aux levures commencèrent à être diffusés.

Aujourd'hui, plusieurs praticiens de la santé et un nombre incalculable de personnes affectées par les levures ont découvert qu'une diète spécifique et un traitement antifongique peuvent aider de façon drastique à résoudre des problèmes de santé au préalable incurables.

Je suis devenu conscient des maladies liées aux levures en 1979; au cours des huit dernières années, j'ai vu des centaines de patients réagir de manière positive à un simple traitement.

Si vous êtes affectés par des problèmes liés aux levures, vous aurez besoin de l'aide, du soutien, de l'encouragement et de la supervision d'un professionnel de la santé qui puisse prescrire un traitement antifongique et superviser le programme anticandida. Vous aurez également besoin d'un régime nutritif et bien équilibré, composé d'aliments qui ne favorisent pas la prolifération des levures.

Contrôler ce problème lié aux levures et recouvrer la santé ne sera pas facile. Cela demandera parfois des mois, voire même des années, de persévérance.

William G. Crook, M.D
The Yeast Connection

Cinq années ont passé depuis la parution de: Candida: l'autre maladie du siècle. Depuis ce temps, plusieurs praticiens de la santé ont reconnu le rôle que peut jouer l'infection aux levures dans le développement d'une symptomatologie.

Des centaines de praticiens de la santé, incluant certains médecins, ont utilisé mon ouvrage à titre d'outil de travail et de référence afin d'aider leurs patients. Des milliers de personnes ont pu bénéficier de ses conseils. Personnellement, dans mon cabinet, j'ai pu aider des centaines de gens à recouvrer la santé avec les recommandations de ce livre.

Mais, plus le sujet de la candidose est accepté, plus les recherches cliniques découvrent de nouvelles façons d'aborder ce problème. Mon expérience personnelle, mon désir toujours croissant d'en savoir davantage et de nombreuses consultations m'ont aidé à découvrir des pistes de plus en plus intéressantes et efficaces.

Que vous soyez atteints de candidose, que vous soyez praticien de la santé ou tout simplement curieux d'en savoir plus, vous tirerez profit de ce livre.

Mon approche est avant tout naturopathique, c'est-à-dire non-invasive et globale. Pour le naturopathe, la candidose n'est pas une maladie au sens médical du terme mais bien un déséquilibre causé par notre mode de vie *contre-nature*. Le but du naturopathe n'est pas de traiter une maladie mais d'éduquer l'individu pour qu'il adopte un mode de vie où le champignon ne peut avoir de place.

1. Mise au point à propos des levures

Parce que le candida est une levure, certains semblent croire qu'il faille éviter d'en prendre. Ils croient que la levure alimentaire desséchée et la levure vivante peuvent causer le candida. Rien de plus faux.

Il existe plusieurs variétés de levures. Elles ne sont pas toutes identiques. La levure qui cause des problèmes est celle de type candida (ou Monilia albicans). Les autres levures ne sont pas mises en cause (sauf peut-être le candida tropicalis). Les levures utilisées comme suppléments alimentaires sont d'un type complètement différent. Il y a des millions de gens qui utilisent la levure comme supplément alimentaire avec d'excellents résultats.

Lorsqu'elle passe de la forme unicellulaire (forme de levure) à la forme mycélienne, la levure candida cause des problèmes. Sous la forme de levure, elle est presque inoffensive. Cependant, les gens atteints de candida ou d'allergies multiples doivent s'abstenir de prendre de la levure sous toutes ses formes et ce, dans les premières semaines du programme et possiblement plus longtemps.

Le docteur William Crook recommande la stratégie suivante: durant la première semaine du traitement, évitez toute levure. Si vous vous sentez déjà mieux et que vos symptômes diminuent, vous pouvez alors vérifier votre tolérance à la levure de la façon suivante: le huitième jour du traitement, prenez un petit morceau de levure de bière (un quart de comprimé). Si vous ne constatez pas de réaction en dix minutes, prenez-en davantage.

Continuez ainsi jusqu'à ce que vous ayez pris tout le comprimé. Si vous n'avez pas de réaction, prenez un autre comprimé quelques heures plus tard.

Toujours selon le docteur Crook, si vous ne réagissez pas

après quelques jours, vous n'êtes probablement pas allergique à la levure et vous pouvez en consommer de façon raisonnable.

A mon avis, il serait prudent d'éviter la levure pendant au moins trois ou quatre semaines durant le programme d'élimination de la candidose. Vous pourriez ensuite la réintroduire graduellement dans votre diète si vous le souhaitez. Si elle ne cause pas de réaction allergique, il n'y a aucun inconvénient à prendre des suppléments de levure.

Cette crainte de la levure a été engendrée par quelques fabricants de produits naturels qui ont su profiter de la popularité du candida, d'une mauvaise connaissance de cette maladie et du fait que la levure est un allergène potentiel.

Il est vrai que certains individus sont allergiques à la levure. Ils ne sont pas cependant légion et les produits sans levure peuvent les aider. Lorsqu'un praticien de la santé recommande des suppléments alimentaires pour traiter un problème particulier, il est sage d'éviter les produits qui contiennent de la levure, du sucre, du maïs, du soja, du blé ou autres éléments allergènes.

Même si le lait, le maïs et le blé figurent parmi les substances allergènes, la majorité des gens ne les évitent pas pour autant la vie durant. Il faut considérer la levure comme telle.

La levure est une excellente source de vitamines, de minéraux et d'acides aminés. Elle est probablement la meilleure source naturelle de vitamines du complexe B. Elle est une excellente source de sélénium et de chrome. Le sélénium est un antioxydant essentiel. Il aide probablement à prévenir le cancer.

Le chrome qu'on retrouve dans la levure de bière aide à

réduire le taux de cholestérol et de triglycérides et augmente la tolérance au glucose.

La levure, plus particulièrement celle de la bière, n'est pas un supplément miraculeux. Elle est par contre un aliment complet et concentré. Il ne faut pas s'empêcher d'en prendre sans raison valable. En agissant ainsi, on se prive d'un excellent supplément. Il faut faire attention à la propagande contre la levure. Elle est souvent sans fondement.

2. Une maladie ou une mode?

Il semble que le candida soit une *maladie à la mode*. Qu'en est-il vraiment? L'épidémie du candida est réelle, mais pourquoi n'en parlons-nous que maintenant?

Il y a quelques années, l'*establishment médical* niait l'existence de l'hypoglycémie et du Burn-out, cette brûlure interne. Pourtant, ils sont bien réels. On ne conteste plus la réalité de l'hypoglycémie. Par contre, le syndrome prémenstruel (SPM) est encore considéré par plusieurs comme un problème essentiellement psychologique. Pourtant, une large majorité de praticiens de la santé reconnaissent que ce syndrome tient sa source non pas dans la tête, mais dans le corps. Ce ne sont pas de nouvelles maladies. Ce qui est nouveau, c'est qu'on a pu les identifier avec précision et cataloguer leurs symptômes.

La situation du candida se compare à celle de l'hypoglycémie il y a quelques années. Il est vrai que cette épidémie est plutôt récente. La raison en est simple: les éléments qui créent un environnement idéal pour la prolifération du candida sont récents. La pilule contraceptive, les antibiotiques et les corticostéroïdes sont tous des découvertes récentes. Notre alimentation n'a fait qu'empirer depuis les vingt-cinq dernières années. L'humain moderne industrialisé est sûrement l'être le plus stressé et refoulé qui n'ait jamais existé sur cette planète. Jamais n'avons-nous été confrontés à autant de polluants: pollution par le bruit, par l'image, pollution de l'air et des moeurs. Jamais n'avons-nous été aussi faibles et malades. Nous sommes en crise. Alors, cette crise se manifeste par de nouvelles maladies. Et le candida s'inscrit sur cette longue liste.

Certains individus et compagnies vont tenter de tirer profit de la situation. Il faut donc être vigilant. Sachez choisir un praticien en qui vous pouvez avoir confiance. Informez-vous sur le sujet. Suivez les principes généraux de ce livre. La candidose n'est qu'un symptôme, celui d'une société qui ignore ou qui méprise les facteurs naturels qui conduisent à la santé. Et, si nous continuons à enfreindre les lois de la santé (physique, psychique et morale), il y aura d'autres épidémies plus graves que le candida ou que le SIDA. Pensons-y bien!

3. Souffrez-vous de candidose?

Etes-vous toujours fatigué? Souffrez-vous de flatulences (gaz) ou de ballonnements intestinaux? Avez-vous des rages de sucre, de pain, de bière ou d'autres boissons alcoolisées?

Souffrez-vous de constipation, de diarrhée ou d'une alternance des deux? Avez-vous des changements d'humeurs fréquents? Etes-vous déprimé, irritable, anxieux, nerveux? Vous fâchez-vous facilement? Avez-vous de la difficulté à vous concentrer?

Etes-vous souvent étourdi? Vos muscles sont-ils douloureux même après des activités normales? Avez-vous pris du poids soudainement sans changement de diète? Avez-vous des démangeaisons ou des brûlements à l'anus ou au vagin? Avez-vous des problèmes de prostate ou une diminution du désir sexuel?

Avez-vous déjà pris des antibiotiques (même une seule fois)?

Avez-vous déjà pris ou prenez-vous présentement la pilule contraceptive? Avez vous pris de la cortisone ou autres stéroïdes?

Si vous avez un ou plusieurs des symptômes énumérés ci-haut et qu'un examen médical ne peut en déterminer la cause, il est possible que votre problème soit lié à une prolifération anormale de levure dans votre organisme. Peut-être souffrez-vous de ce qu'on nomme candidose.

4. Pourquoi un livre sur le Candida albicans?

Selon les experts, environ 30% de la population du globe est atteinte à différents degrés de candidose. Ces mêmes experts estiment que près de 60 % des femmes sont affectées d'une façon ou d'une autre par ce syndrome de la levure. Une grande partie des gens qui développent des allergies sont prédisposés au candida.

Selon le docteur Shirley Lorenzani, le candida est en pleine gloire. Il croît avec la pollution interne causée par la consommation excessive de sucre, d'antibiotiques, de contraceptifs oraux ou encore de drogues qui déséquilibrent le système immunitaire.

La levure, champignon microscopique unicellulaire, n'est pas responsable de tout le dommage qu'il cause. L'usage que l'humain fait de sa liberté en est l'origine. Le champignon ne fait que profiter d'une situation idéale. C'est l'être humain et ses habitudes qui créent le milieu ambiant idéal à sa prolifération.

D'une certaine façon, le candida est un état d'alerte. Il nous avertit que notre mode de vie met en danger l'homéostasie de l'organisme.

Parce que cette affection est de plus en plus répandue, il faut non seulement savoir comment la reconnaître et la traiter mais surtout comment la prévenir. Car trop de femmes, d'hommes et même d'enfants sont aux prises avec ce syndrome.

5. Les levures

La levure est un produit qu'on incorpore à la pâte pour qu'elle lève. On l'utilise aussi pour faire la bière. C'est un supplément alimentaire. La levure kéfir, la levure torula, la levure engévita ou le levure de bière en sont des exemples. Alors que viennent faire les levures dans une maladie?

Précisons d'abord que la levure alimentaire ne cause pas la candidose. Il ne faut donc pas craindre d'en prendre comme supplément ou encore de l'utiliser en boulangerie.

La levure alimentaire ou levure désactivée (levure de bière, torula, kéfir, engévita, etc.) est inoffensive chez ceux qui peuvent la tolérer. C'est une excellente source de protéines et de vitamines du complexe B. Les gens sujets aux allergies doivent cependant surveiller la levure parce qu'elle peut provoquer des réactions.

Les levures sont des micro-organismes unicellulaires qui vivent presque partout sur la planète. Bien qu'appartenant au règne végétal, certains croient utile de faire une distinction. En effet, ils font mention d'un *troisième règne* englobant les champignons, les levures et les moisissures. Elles peuvent se multiplier de façon phénoménale sous des conditions idéales. Selon le docteur Roger Williams, une seule cellule de levure dans un environnement propice peut produire en vingt-quatre heures plus de cent autres cellules.

6. Quelques faits intéressants sur les levures

Les levures vivent partout: sur les plantes, dans le sol, dans l'eau douce et dans l'eau de mer. Elles vivent sur la surface ainsi qu'à l'intérieur des insectes et des animaux à sang chaud (dont l'être humain). Dans la mer, on peut les retrouver jusqu'à 10 000 pieds de profondeur. Il existe plus de 500 espèces distinctes de levures.

7. Utilisation des levures

On utilise des levures dans les produits boulangés: l'oxyde de carbone produit par les levures fait lever la pâte.

On utilise des levures dans l'alcool: elles servent à la formation d'éthanol dans toutes les boissons alcoolisées (bière, vin, whisky, gin, rhum, etc.). Les bulles de la bière et du champagne sont formées par l'oxyde de carbone.

Les levures produisent des fermentations et des acides tels que l'acide citrique. Ces substances donnent des saveurs particulières aux mets boulangés et aux alcools.

On utilise des levures dans la conservation: la formation d'alcool et d'oxyde de carbone est utile pour préserver les aliments transformés par la levure.

8. Les levures dans notre organisme

On trouve des levures presque partout dans l'organisme humain. Tant qu'elles sont en petit nombre, elles ne causent pas de problème. On les retrouve dans la bouche, les intestins, les organes génitaux, sur la peau et dans l'oreille externe. Leur rôle est d'aider le corps en accélérant le processus de décomposition des matières organiques mortes. Elles recyclent les débris produits par l'organisme. Elles s'alimentent des protéines, glucides et lipides qui se trouvent dans les déchets du corps.

Les levures sont très prolifiques. Certaines bactéries veillent toutefois à ce qu'elles ne prolifèrent pas trop et ne perturbent pas l'homéostasie de l'organisme.

9. La levure candida albicans

Le candida albicans est une levure que l'on retrouve dans le corps humain. On la nomme aussi *Oïdium Albicans*, *Saccharomyces Albicans* et *Monilia Albicans*.

C'est la forme de levure la plus répandue dans l'organisme humain. Elle se trouve surtout dans l'appareil gastro-intestinal: de la bouche au rectum. Elle habite aussi l'appareil urinaire et la région génitale. Le milieu vaginal est un des endroits préférés de ce micro-organisme.

Les nouveau-nés rencontrent cette levure lors de leur passage dans le vagin. Par contre, le système immunitaire d'un enfant en santé peut aisément empêcher la prolifération excessive de champignon. A l'âge de six mois, 90 % des bébés ont une réaction positive lors d'examens visant à vérifier la présence de candida albicans sur la peau.

Plusieurs femmes ont régulièrement des vaginites causées par cette levure. Ce champignon apprécie particulièrement le milieu sombre, humide et chaud de l'appareil génital féminin. Cette affection vaginale a été décrite pour la première fois en 1849 par Wilkinson. Elle n'est donc pas récente.

Le candida albicans peut passer de la forme unicellulaire à la forme mycélienne. Sous forme mycélienne, il peut s'enraciner dans la muqueuse intestinale et causer ainsi de graves problèmes. C'est sous cette forme que ce micro-organisme devient dangereux.

La présence de candida albicans dans le corps est normale. Ce qui ne l'est pas, c'est l'implantation trop abondante de ce champignon en différentes parties de l'organisme et la présence systémique des toxines (acétyldéhyde et autres) qu'il produit.

10. Les bactéries lactiques

Les bactéries lactiques sont des micro-organismes que l'on retrouve dans le corps. Elles forment une flore microbienne normale et permanente qui se développe sur la plupart des muqueuses. Elles croissent dans notre gorge, nos intestins, sur notre peau et dans le vagin. Contrairement aux levures, les bactéries lactiques tiennent un rôle essentiel dans le maintien de la santé.

11. Quelques faits sur les bactéries lactiques

Les bactéries lactiques produisent de l'acide lactique. Or les bactéries qui causent la maladie ne se développent pas en milieu acide. En fleurissant sur la muqueuse intestinale, les bactéries lactiques créent une barrière contre les microbes infectieux.

Les bactéries lactiques produisent également des antibiotiques, dont l'acidophiline, le bulgarican, la lactocidine. Ces antibiotiques naturels jouent un rôle important dans la protection du corps contre les microbes pathogènes. Les bactéries lactiques synthétisent certaines vitamines dont certaines du complexe B: la vitamine B12 et l'acide folique. Les enzymes des bactéries lactiques contribuent à une digestion plus rapide de certains aliments. Elles produisent des agents hypocholestérolémiques qui diminuent le taux de cholestérol sanguin.

Ce sont les bactéries lactiques qui donnent leurs propriétés thérapeutiques au yogourt et au kéfir. Elles permettent la fermentation des glucides (sucres) que les enzymes gastro-intestinaux humains ne peuvent digérer. Les bactéries lactiques empêchent les levures de se répandre et de mettre ainsi en danger la santé de l'individu.

12. Quelques bactéries lactiques

1) Lactobacillus Acidophilus

Ce micro-organisme produit les antibiotiques naturels, acidophiline, lactocidine et acidoline. Il empêche le développement de la levure candida albicans. Il accroît l'absorption du calcium. Ce micro-organisme aide à la production d'enzymes telles que la protéase et la lipase, en plus de réduire la possibilité d'infections des voies urinaires et vaginales. L'acidophilus réside dans la flore intestinale où il aide à maintenir le taux d'acidité normal.

2) Bifidobactéries (Infantis, Adolescentis, etc.)

On l'isole à partir des selles de nourrissons. On la retrouve dans le conduit alimentaire des enfants et des adultes. Cette bactérie est introduite dans l'intestin de l'enfant par l'allaitement. Tout comme l'Acidophilus, les bifidobactéries aident à la digestion et à la synthèse de vitamines du complexe B. La présence de ces bactéries réduit le pH du côlon, qui empêche à sont tour le développement de micro-organismes indésirables qui requièrent un pH neutre.

3) Streptococcus Faecium

Elle a une résistance élevée à plusieurs antibiotiques. Elle est très résistante aux sels biliaires et aide à réduire la diarrhée. Cette bactérie inhibe la prolifération de microbes producteurs de toxines.

4) Lactobacillus Bulgaricus

Elle sert à la culture du yogourt. Cette bactérie joue un rôle important dans la production d'antibiotiques naturels.

Comme on peut le voir, les bactéries lactiques contribuent essentiellement au maintien de la santé de l'être humain. Elles favorisent l'assimilation de certains nutriments. Elles veillent à ce que le milieu intestinal demeure libre de bactéries pathogènes et elles synthétisent certains éléments nutritifs essentiels. De plus, ces micro-organismes empêchent le candida albicans ainsi que d'autres micro-organismes de se développer (dysbiose) et de perturber l'équilibre de l'organisme.

13. Le système immunitaire

Le système immunitaire protège le corps contre les maladies infectieuses, les substances étrangères, les polluants chimiques et les drogues. Il nous protège même contre nos propres cellules lorsque celles-ci deviennent malignes. Les lymphocytes circulent dans les systèmes lymphatique et sanguin. Ils nous protègent contre différentes substances pathogènes.

Il y a deux sortes de lymphocytes: les lymphocytes-T et les lymphocytes-B. Les deux proviennent de la moelle osseuse. Les lymphocytes-T sont activés dans le thymus (d'où la lettre T). Les lymphocytes-B ne passent pas par le thymus. Les lymphocytes-T reconnaissent les cellules étrangères par leurs membranes.

Reconnu, l'étranger est attaqué par la cellule-T qui le phagocyte, c'est-à-dire, qu'elle l'absorbe et sécrète un produit chimique qui le tue. La phagocytose est efficace si les cellules-T sont saines et si l'organisme est en santé. Votre alimentation et votre santé générale peuvent directement affecter l'état de vos lymphocytes-T. Et, par conséquent, activer ou inhiber les défenses de votre organisme.

Puis, les lymphocytes-B entrent en jeu. Ils produisent des anticorps qui s'attachent alors aux antigènes pour former ce qu'on appelle le *complexe antigène/anticorps*. Ces cellules-B sont comparables à des lance-missiles et les anticorps aux missiles. Les lymphocytes T, B, NK et les macrophages ne constituent qu'une partie du système immunitaire.

En effet, les bactéries lactiques participent également à l'immunité. Elles produisent des antibiotiques naturels et de l'acide lactique. Les membranes muqueuses des systèmes respiratoire et gastro-intestinal forment une barrière contre les substances qui essaient d'envahir ou de pénétrer le corps. La peau fait aussi partie du système immunitaire. En effet, elle protège l'organisme contre les attaques extérieures.

14. Immunité et nutrition

L'immunité du corps dépend de plusieurs facteurs. L'un des plus importants est l'alimentation. Ainsi, une augmentation accrue de vitamine C favorise la production d'anticorps. Une déficience en vitamine B6 réduit la capacité d'action des cellules de types B et T. Une surconsommation de sucre réduit la capacité de phagocytose des leucocytes.

15. Le problème: candida albicans

La levure de type candida albicans est un résident normal de notre corps. Tant que l'homéostasie est assurée, ce micro-organisme ne cause pas d'ennui. Le problème survient lorsque l'équilibre organique est perturbé. Cette levure se développe alors, causant différents problèmes.

Lorsque l'homéostasie est perturbée et que le système immunitaire est affaibli, le candida peut proliférer de façon considérable et affecter les différents systèmes de l'organisme. Ces derniers étant interdépendants, la levure peut ainsi se déplacer d'une partie du corps à une autre. Des colonies peuvent se développer dans la bouche, dans le vagin ou ailleurs. Son champ d'action n'est pas limité à un endroit spécifique puisqu'il peut produire des toxines (poisons) qui s'infiltrent dans le sang et ainsi se propager partout dans l'organisme.

De plus, sous la forme mycélienne, ce micro-organisme est présent dans presque toutes les affections pulmonaires. Une forme de bronchite est d'ailleurs liée au candida. Elle cause de la toux, des excrétions et des râlements.

Le système urinaire peut abriter le candida qui y cause alors différentes infections. L'urètre affectée par le candida peut s'irriter causant un besoin fréquent d'uriner et des brûlements. Le cerveau peut être affecté par les toxines du candida, causant des pertes de mémoire, des changements d'humeurs et des difficultés de concentration. Certains individus peuvent devenir dépressifs, frustrés et anxieux.

Les cinq sens sont affectés. Le goût peut changer, voire même parfois disparaître temporairement. La vision peut être embrouillée. On peut avoir une diminution ou une perte totale de l'ouïe. Le candida peut aussi produire de l'irritation intestinale et causer la constipation, la diarrhée et des symptômes reliés à la maladie de Crohn. Le candida peut également produire des crampes ou des ballonnements intestinaux et des démangeaisons rectales.

Plusieurs problèmes digestifs résultent d'un accroissement anormal du taux de levures. Les brûlements à l'estomac sont parfois causés par des colonies de levures implantées dans l'oesophage.

Le candida provoque aussi beaucoup de problèmes biochimiques. Il peut perturber le fonctionnement du système hormonal et entraîner des irrégularités menstruelles, des changements de poids, de la rétention d'eau, la diminution ou la perte d'appétit sexuel.

Des études (International Journal of Clinical Nutrition, Avril 1985 Vol.5, No.2) semblent révéler qu'une toxine produite par le champignon (l'acétyldéhide) peut nuire à la production d'acétylcholine et ainsi mener aux symptômes nerveux et aux problèmes de mémoire souvent présents chez les gens souffrant de candidose.

Tous les symptômes allergiques classiques peuvent se manifester à cause du candida. Selon certains experts, les toxines produites par le champignon empoisonnent l'organisme. Elles accablent ses défenses naturelles et elles préparent un milieu idéal pour les réactions allergiques. Il pourrait également y avoir une relation entre l'hypothyroïdisme, l'hypoglycémie et le candida.

16. La cause du candida albicans

Le candida albicans n'est pas une maladie. Il ne fait que profiter d'une situation et d'une perturbation de l'équilibre organique pour prendre racine. Il est essentiel de comprendre que l'origine de cette perturbation est le seul responsable du problème. En effet, le véritable responsable demeure l'être humain ou plutôt ce qu'il fait de sa liberté.

L'être humain doit apprendre que cette liberté est régie entre autres par des lois physiologiques. Il doit apprendre qu'il ne peut enfreindre ces lois sans en subir les conséquences.

Une alimentation saine doit inclure protéines, glucides (sucres) et lipides (gras). Les protéines sont les matières qui entrent dans la constitution de l'organisme. Ce sont les éléments dits *plastiques*. Les protéines servent à produire la *matière* de l'organisme. Les glucides et les lipides servent à donner de l'énergie. Ce sont les éléments *énergétiques*. Certains lipides servent aussi d'éléments plastiques. Les minéraux servent d'éléments plastiques (le calcium, par exemple, dans les os et les dents) et de substances régulatrices (éléments catalyseurs). Ils sont indispensables au métabolisme cellulaire et au bon fonctionnement organique. Les vitamines sont également des substances régulatrices importantes.

On ne peut se passer de ces éléments nutritifs essentiels. Une carence de l'un de ces éléments entraîne un déséquilibre de l'organisme. Non seulement faut-il se nourrir d'éléments essentiels tels que les protéines, vitamines, etc., il faut aussi éviter d'introduire dans le corps des éléments qui ne lui servent pas: les intoxicants.

Parce que l'organisme doit éliminer ce qu'il n'utilise pas et que, pour ce faire, il doit y consacrer beaucoup d'énergie, cette élimination empêche l'organisme d'utiliser à bon escient toutes les ressources dont il dispose. Le déséquilibre de l'homéostasie, l'affaiblissement du système immunitaire et la destruction de la flore intestinale sont dûs principalement au manque d'éléments nutritifs et à l'intoxication dont les aliments dégénérés, les drogues et les médicaments.

17. Les aliments dégénérés

Le sucre doit être consommé avec modération. Il faut savoir qu'une ingestion trop grande de sucre réduit la phagocytose (l'index phagocytaire) des leucocytes réduisant ainsi le potentiel immunitaire.

La plupart des individus souffrant de candidose sont pour la majorité de grands consommateurs de sucre. Des études ont démontré que ce ne sont pas seulement les sucres simples comme le fructose et le glucose qui augmentent l'incidence de candidose mais aussi l'arabiose et le galactose qu'on retrouve dans le lait.

Dans une recherche scientifique réalisée par l'University of

Connecticut Health Center, les chercheurs ont analysé le taux de sucre dans l'urine de femmes non diabétiques souffrant de vulvovaginites à champignons fréquentes. Ils ont découvert que le taux était beaucoup plus élevé que la norme.

Dans notre société industrialisée, nous consommons beaucoup de sucre blanc. Or ce sucre raffiné (blanc) a un grave défaut: il ne contient plus les nutriments nécessaires à son propre métabolisme. Pour le digérer et l'utiliser, le corps doit puiser dans ses réserves de vitamines B17 et de chrome.

Il n'est donc pas nécessaire d'ajouter du sucre aux aliments. Au contraire, voici quelques exemples de sucre que nous consommons sans même le savoir: les statistiques proviennent de «The Nutrition Desk Reference, Keats Publishers»

a) Le matin

Un verre de 6 onces de jus *Tang* = 4,5 c. à thé de sucre.
Un bol de céréales (4 onces) *Apple Jacks* = 6 c. à thé de sucre.
Deux rôties avec confiture (3 c. à table) = 4 c. à thé de sucre.
Un verre de chocolat au lait (8 onces) = 6 c. à thé de sucre.

b) Le midi

Une salade avec 2 c. à soupe de vinaigrette *French* = 1,5 c. à thé de sucre.
Un petit pain à salade = 4 c. à thé de sucre
Un morceau de tarte aux pommes (1/6 d'une tarte moyenne) avec 2 boules de crème glacée = 18 c. à thé de sucre.
12 onces de *Seven-Up* = 9 c. à thé de sucre.

c) Le soir

Petits pois en conserve (1/2 tasse) = 1 c. à thé de sucre.
Une tasse de yogourt aux fruits = 7,5 c. à thé de sucre.
Un verre de cola (12 onces) = 9 c. à thé de sucre.

d) La collation

Deux biscuits aux brisures de chocolat = 5 c. à thé de sucre.
Un beigne glacé = 6 c. à thé de sucre.
Quatre gommes à mâcher = 2 c. à thé de sucre.

Ainsi un individu consomme chaque jour plusieurs tasses de sucre. Or selon les experts, on devrait consommer un maximum d'une demi-tasse de sucre par jour. Aussi, cette demi-tasse devrait provenir de sucres complets tel que le miel, le *Sucanat* ou encore le malt de riz brun.

Un niveau élevé de sucre (incluant les agents sucrants artificiels) dans la diète semble accroître le nombre d'infections vaginales dues aux levures. De plus, certaines études confirment que le sucre favorise le développement de champignons du type candida. En effet, la majorité des chercheurs admet que le sucre cause des déséquilibres nutritifs importants. Or ce déséquilibre prédispose à l'infection de levures: la candidose.

18. L'alimentation moderne

Pour les experts, l'alimentation moderne est *constituée aux deux-tiers d'aliments traités et dénaturés*. Elle devrait au contraire se constituer de fruits, de légumes, de céréales (blé, orge, seigle), de noix et de graines qui n'ont pas été traités. En effet, afin d'assurer la conservation de nos aliments on leur enlève différents éléments nutritifs. Pour illustrer le problème, prenons l'exemple de la farine blanchie.

On enlève le germe et la coque du blé afin de blanchir la farine. Sans ces deux éléments, la farine se conserve mieux. Le germe et la coque sont riches en minéraux, en oligo-éléments indispensables à la vie, en ferments et en vitamines B. On ne conserve que le centre du blé qui contient seulement de l'amidon. *On ne garde que la portion du grain riche en amidon et de ce fait on perd environ 70 %*

des substances les plus précieuses contenues dans les céréales. La farine se conserve mieux mais elle ne contient que 30 % de ses éléments nutritifs naturels. La farine blanchie (comme le sucre blanc) est un aliment fait de calories vides.

Afin de compenser ce vide nutritif, certains fabricants ajoutent des vitamines aux produits alimentaires. On retrouve donc du pain ou de la farine blanchie dits *enrichis*. Les quelques vitamines synthétiques ajoutées au pain ne changent rien au problème. Même si la farine blanchie et enrichie contient de la thiamine, de la riboflavine, de la niacine ainsi que du calcium et du fer, elle a perdu toute trace d'acide pantothénique (vitamine B5), de pyridoxine (B6), d'acide folique, de vitamine E, de magnésium, de zinc, de cuivre et de manganèse.

L'acide pantothénique est essentiel au métabolisme de l'énergie. La pyridoxine est vitale au bon fonctionnement des enzymes nécessaires au métabolisme des graisses, des sucres et des protéines.

L'acide folique est indispensable à la formation des globules rouges. Le pain dit enrichi ne l'est que partiellement. Il ne peut se comparer au pain de blé entier.

Il est malheureux que la majorité des aliments soient raffinés ou encore traités chimiquement. La conservation ne nécessite pas cette prostitution alimentaire. En effet, nous avons tous les réfrigérateurs et les congélateurs nécessaires, sans parler des autres procédés de conservation qui ne nécessitent pas le raffinage ou l'ajout de produits chimiques.

En plus de retirer aux aliments leurs éléments nutritifs, on leur ajoute maints produits chimiques tel que des colorants, des agents de conservation et des saveurs artificielles.

Cette alimentation préparée, chimifiée et raffinée dérobe les éléments nutritifs dont notre système immunitaire a besoin pour bien fonctionner. Les diètes du XXe siècle encouragent la prolifération du candida albicans en affaiblissant le système immunitaire et en nourrissant la levure présente dans l'organisme.

Par contre, nous ne sommes pas tous affectés de la même manière par le déséquilibre alimentaire. Certains individus plus robustes réussissent à se tirer d'affaire. Mais, en ce siècle où le candida fait des ravages, où il y a plus de déséquilibres alimentaires, on accroit quotidiennement les risques de perturber l'homéostasie organique. En effet, les habitudes dites modernes sont l'une des causes majeures du déséquilibre organique qui prédispose à la candidose.

19. Les médicaments

Comme on le sait, les antibiotiques détruisent la flore intestinale. Par contre, on ne sait pas assez que les antibiotiques permettent ainsi au candida de proliférer. Selon certaines études, les antibiotiques bloquent l'action des lymphocytes, ces agents de notre système immunitaire, dans leur combat contre le candida albicans. De plus, les antibiotiques n'ont aucun effet sur ce micro-organisme.

Selon des microbiologistes du Division of Infectious Diseases, Dermatology, and Laboratory Medicine à la Washington University School of Medicine, les antibiotiques utilisés pour traiter les infections de levures peuvent accroître le taux de candida albicans. Ces antibiotiques (polyene antibiotics) stimulent l'accroissement du nombre de colonies de candida. On doit se poser de sérieuses questions quant à leur utilisation thérapeutique.

Les antibiotiques tuent toutes les bactéries, y compris les

bonnes. Les antibiotiques attrapent et tuent un criminel en fusillant tout le monde. Quel non-sens!

Les antibiotiques sont parfois nécessaires. Et la décision de prescrire ou non des antibiotiques revient à un spécialiste compétent. Ce n'est pas le propos de ce livre. Par contre, il existe peut-être d'autres alternatives à base de plantes ou homéopathiques qui n'ont pas d'effets secondaires indésirables. Mais cela reste soumis au jugement d'un spécialiste compétent.

Les antibiotiques à spectre élargi *Keflex*, *Ceclor*, *ampicillin*, *amoxicillin*, *Septra*, *Bactrim* et ceux utilisés dans le traitement de l'acné (tétracycline) détruisent la flore intestinale, prédisposant ainsi au candida.

Une étude «An Apparent Growth Factor For Candida Albicans Released From Tetracycline Treated Bacterial Flora», (Journal Hyg, #58:95-97,1960) a démontré que les tétracyclines peuvent encourager la flore microbienne normale à sécréter des substances qui nourrissent le candida.

20. Les contraceptifs oraux

La pilule contraceptive contient des oestrogènes et de la progestérone. La progestérone semble stimuler le candida. De plus, la progestérone altère les muqueuses de la bouche, de la gorge, du vagin et des poumons dans lesquelles la levure est présente. Il semble de plus en plus admis que les levures du type candida ont des récepteurs d'oestrogène. Lorsqu'il y a une augmentation du taux de cette hormone dans l'organisme, le développement des colonies de candida est stimulé.

De plus, selon une étude de J. Leboulanger sur les vitamines (F. Hoffmann-La Roche & Cie), les contraceptifs oraux dérobent certaines vitamines, dont la vitamine B6 et l'acide folique.

Beaucoup de femmes souffrant de vaginites à répétition les ont vu disparaître lorsqu'elles ont cessé de prendre des contraceptifs oraux. La pilule contraceptive serait donc l'un des constituants de cette maladie.

21. Les corticostéroïdes

Les corticostéroïdes peuvent aussi stimuler le développement des colonies de levures dans l'organisme humain. C'est surtout le cas des glucocorticoïdes, dont la cortisone. Comme les oestrogènes, la cortisone stimule et excite les récepteurs de la levure. La cortisone et la prednisone réduisent également l'efficacité du système immunitaire permettant ainsi la prolifération des levures.

22. Les substances intoxicantes

Tout produit qui intoxique l'organisme prédispose au candida. Toute intoxication empoisonne l'organisme forçant ce dernier à réagir pour éliminer le poison. Or, plus nous absorbons de substances toxiques, plus l'intoxication est grande. L'organisme doit redoubler d'efforts afin de les éliminer. Ce travail supplémentaire réduit l'énergie vitale et affaiblit.

Tous les polluants chimiques tels que les pesticides, les herbicides, les fertilisants, les conservateurs et les métaux lourds réduisent la capacité de notre système immunitaire. Ils laissent le champ libre à toutes sortes d'infections, dont la candidose.

Tout ce qui déséquilibre l'homéostasie de l'organisme: les habitudes alimentaires malsaines, le manque d'exercice, la consommation de polluants et de drogues, le stress physique et psychologique affaiblissent inévitablement le système immunitaire et prédisposent à l'infection de champignons du type candida albicans.

23. Comment déterminer si vos ennuis de santé sont liés au candida

Il est important de noter que le diagnostic est réservé aux seuls professionnels de la santé. Ce chapitre peut aider à déterminer s'il faut suggérer à un spécialiste de la santé la présence ou non du candida. Mais, quoi qu'en disent *certains experts*, il n'est pas recommandé de se traiter soi-même si l'on croit être infecté par le candida albicans.

Le Dr Bradford, de l'American Biologics, a mis au point une analyse du sang que certains praticiens utilisent afin d'avoir des indications plus précises sur le candida. Cette analyse offre des possibilités très intéressantes. Votre praticien de la santé peut décider, à sa discrétion, d'utiliser cette analyse en collaboration avec l'Institut de Recherche Bradford du Canada.

Certaines maladies telles l'hypoglycémie et l'hypothyroïdisme ont des symptômes similaires à ceux présentés chez un individu souffrant de candidose. Seul un praticien de la santé peut déterminer si le problème est relié à l'une ou l'autre de ces affections. Il existe différents questionnaires qui peuvent vous éclairer à ce sujet. Voici une adaptation utilisée depuis plusieurs années avec succès.

Questionnaire de dépistage

1. Avez-vous pris des antibiotiques à spectre élargi pour des infections respiratoires, urinaires ou autres durant une période de deux mois ou plus? Ou encore durant moins de deux mois mais quatre fois ou plus dans une année?

2. Avez-vous déjà pris la pilule contraceptive?

3. Avez-vous pris la pilule contraceptive durant deux ans ou plus?

4. Avez-vous pris de la *prednisone*, du *Decadron* ou autres drogues de type cortisone?

5. Si vous avez répondu oui à la quatrième question? En avez-vous pris pendant plus de deux semaines?

6. Avez-vous des envies incontrôlables de sucre?

Notez 10 par réponse positive.

Les symptômes

Ajoutez à votre total lorsque le symptôme vous concerne:

1.	Mauvaise mémoire:	+ 24
2.	Incapacité de se concentrer:	+ 24
3.	Somnolence:	+ 24
4.	Fatigue ou léthargie:	+ 120
5.	Sensation d'épuisement:	+ 24
6.	Irritabilité ou agitation:	+ 24
7.	Changements d'humeur fréquents:	+ 60
8.	Vous vous sentez *perdu*; Vous vous sentez dans une *autre dimension*:	+ 250
9.	État dépressif:	+ 60
10.	Faible coordination:	+ 120
11.	Étourdissement ou perte d'équilibre:	+ 60
12.	Migraines:	+ 60
13.	Pression au-dessus des oreilles. Vous avez la sensation que votre tête enfle:	+ 24
14.	Douleurs musculaires:	+ 24
15.	Faiblesse musculaire:	+ 60

16. Douleurs ou enflures aux jointures: + 60

17. Dessèchement de la bouche: + 24

18. Congestion nasale ou décharge nasale: + 60

19. Douleur ou serrement à la poitrine: + 60

20. Respiration sifflante (asthmatique) ou souffle court: + 60

21. Prenez-vous du poids facilement: + 24

22. Ballonnements ou gonflements: + 24

23. Réactions allergiques aux aliments(éruptions cutanées, troubles d'estomac): + 120

24. Éruptions cutanées: + 60

25. Faites-vous des ecchymoses (bleus) facilement: + 60

26. Décharges vaginales abondantes: + 120

27. Plaies ou irritation sur le pénis ou sur le prépuce: + 120

28. Brûlements ou irritations vaginales: + 120

29. Brûlements ou irritation du pénis, du scrotum ou de l'aine: +120

30. Difficulté à devenir enceinte: + 24

31. Impuissance ou difficulté à maintenir une érection: + 24

32. Baisse ou perte de l'appétit sexuel: + 60

33. Dysménorrhée (menstruations douloureuses): + 24

34. Écoulement ou décharge urétrale: + 24

35. Fréquence et/ou urgence urinaire: + 24

36. Maux de dos fréquents: + 24

Faites le total ajoutez-le au premier.

Si vous cumulez 300 points et plus, il est possible que la levure vous cause des ennuis de santé.

24. Comment contrôler le candida?

Voici les cinq phases qui composent l'approche:

1. Affamer la levure

2. Équilibrer la flore intestinale

3. Combler les carences particulières

4. Détruire la levure

5. Assurer la désintoxication

Il existe plusieurs méthodes de traitement de la candidose. Les techniques utilisées varient selon l'école de pensée à laquelle appartient le praticien. Au Canada, deux écoles s'occupent du candida: la médecine conventionnelle et celle des médecines alternatives.

Au sein des médecines alternatives notons: les naturopathes, les chiropraticiens, les acupuncteurs, certains nutritionnistes, les phytothérapeutes et les médecins hollistes. Les ostéopathes et les homéopathes semblent chevaucher la médecine conventionnelle (allopathique) et la médecine alternative.

Quelle que soit l'école de pensée médicale, on ne doit pas traiter uniquement les symptômes du candida. En effet, on doit aussi traiter la cause du déséquilibre organique: le berceau de l'infection de levure. Le choix de l'école de pensée et du praticien revient au patient. Il est le seul à pouvoir déterminer la voie qu'il doit suivre.

25. Affamer la levure

La suppression de la levure est l'élément clé de la guérison. Puisque certains éléments nutritifs nourrissent le champignon et que d'autres affaiblissent l'organisme, il est primordial de faire un régime. Affamer le champignon, ce n'est pas entrer en guerre contre lui. Ce champignon, nous le répétons, a un rôle important à jouer dans le système d'alerte de l'organisme. On doit plutôt remettre de l'ordre dans l'organisme et le régime doit être avant tout une démarche positive visant la santé et le rééquilibre organique.

26. Le régime alimentaire pour la suppression du candida albicans (Attention! le régime suivant est très sévère; il n'est pas nécessaire d'être aussi sévère dans la majorité des cas.)

a) La levure croît à l'aide du sucre et des amidons.

1) Ne manger aucun sucre ou aliment contenant du sucre, incluant les produits faits avec du miel, de la mélasse, du sirop d'érable, du sirop de malt et les autres sucres dits *naturels*.

2) Dans certains cas, il ne faut pas manger de blé, d'avoine, de seigle ou d'orge, surtout s'il y a des symptômes intestinaux tels que des diarrhées. Cependant, il suffit parfois tout simplement d'en réduire la consommation. Le maïs, le riz, les pommes de terre, le sarrasin et le millet peuvent être consommés par la plupart des gens.

3) Le lait (même cru) favorise la croissance du candida. Évitez le lait et, en de rares cas, seulement si vous

êtes allergiques, ses sous-produits.

b) Les levures, les moisissures et les champignons réagissent lorsqu'ils sont absorbés avec la nourriture ou lorsqu'on en respire de fortes concentrations. Ils déclenchent les symptômes et diminuent la résistance de l'organisme au candida.

Les salles de bains et les ventilateurs doivent être propres et secs. La consommation de levures, de moisissures et de champignons dans la nourriture doit être minimisée.

La levure est utilisée dans la préparation et dans l'assaisonnement des aliments suivants:

a) pain commercial, brioche, gâteau, pâtisseries, etc.

b) bière, vin et toutes les boissons alcoolisées;

c) la plupart des soupes préparées, les croustilles barbecue et les noix rôties à sec;

d) le vinaigre et les aliments vinaigrés.

La levure est la base de beaucoup de préparations de vitamines et minéraux. Il faut donc choisir des suppléments exempts de levure.

Des moisissures se développent sur la nourriture durant les procédés de séchage, de fumage, de salage et de fermentation.

a) Évitez le bacon car le porc fumé contient des moisissures;

b) Évitez les marinades, les viandes, le poisson, les volailles. Les viandes fumées ou séchées, dont les salamis, les saucisses, les hot-dogs, les langues marinées, le boeuf salé, le pastrami, les sardines et autres poissons fumés ayant été séchés.

c) Les fruits séchés tels que les prunes, les raisins, les dattes, les figues, les pelures de citron confites, les cerises confites, les groseilles, les pêches, les pommes et les abricots devraient être éliminés de l'alimentation.

d) Le chocolat, le miel, le sirop d'érable et certaines noix (pistaches et arachides) développent des moisissures et ne devraient pas être consommées.

e) Évitez le jus de citron, le jus de raisins et de tomates en conserve ou surgelés.

f) La consommation de fruits augmente le taux de sucre dans le sang et favorise la croissance de la levure. Les fruits et jus de fruits doivent être temporairement supprimés de la diète.

g) Évitez le thé et les épices séchées.

Que reste-t-il à manger?

Les protéines (pour ceux qui ne sont pas végétariens) telles que le poisson, le poulet, le boeuf, la dinde, les oeufs, le gibier, le lapin, les cuisses de grenouille, le faisan, la caille, l'agneau, le veau. Autrement dit, on peut manger des viandes à la condition qu'elles soient non séchées ou fumées ou marinées ou encore salées. Il faut bien entendu qu'elles soient fraîches. On doit éviter le porc et tous ses sous-produits, ainsi que les fruits de mer.

On peut manger toutes les légumineuses et les noix, sauf les pistaches et les arachides. Les légumes sont en principe tous acceptés.

Peut-on manger au restaurant?

Bien sûr! Il suffit de composer le menu avec précaution. Il faut oublier le cocktail. Il faut demander de l'huile et du jus de citron pour la salade. Il faut commander des protéines préparées sans sauce car celle-ci peut contenir du sucre, des champignons, du blé ou encore d'autres ingrédients auxquels vous pourriez être allergiques.

Les mets apprêtés simplement sont de toute évidence un choix sûr. Les légumes cuits à la vapeur sont idéaux. Oubliez le pain, les biscottes et le dessert.

Il est parfois recommandé de suppléer la diète avec des suppléments de protéine. Par contre, la protéine ne doit contenir ni sucre, ni levure. Il faut savoir cependant qu'un excès de protéines est parfois plus nuisible que bénéfique.

Pour rééquilibrer l'organisme, il faut suivre un régime sain. Un régime doit être adapté à chaque individu selon l'état de son organisme. Beaucoup de facteurs entrent en jeu. Il faut évaluer la capacité du système digestif de chaque individu. Il faut prendre en considération les habitudes alimentaires passées et ancestrales.

Le régime change aussi en fonction des saisons: l'été, on a besoin de moins d'hydrates de carbone que durant l'hiver. En effet, lorsqu'il fait froid, on peut consommer davantage d'hydrates de carbone puisque l'organisme en utilise plus.

Tout au long du traitement et dans chacune de ses phases l'individualité biochimique doit être prise en considération. Oublier ce principe c'est vouer le traitement à l'échec.

27. Équilibrer la flore intestinale

Se débarrasser du champignon sans équilibrer la flore intestinale équivaut à éliminer le symptôme sans tenir compte de la cause. En effet, l'une des causes principales du développement anormal du micro-organisme de type candida albicans (ainsi que de la majorité des dysbioses) provient de l'affaiblissement ou de la destruction de la flore intestinale. Il faut donc rétablir une flore intestinale saine et assez abondante afin que le champignon ne puisse croître démesurément.Pour ce faire, tous les produits n'ont pas la même valeur. Il faut s'assurer d'une bonne concentration et d'une bonne qualité de bactéries. (Voir le chapitre traitant des bactéries lactiques).

Des spécialistes en la matière ont démontré que trois organismes, trois types de bactéries: L. acidophilus, Bifidobactéries et S. Faecium sont compatibles et complémentaires dans leur action contre les bactéries pathogènes et les champignons, surtout en ce qui concerne le candida.

Afin de fortifier la flore intestinale, il faut employer un produit qui contient un nombre élevé de bactéries. J'insiste sur le fait qu'elles doivent être vivantes. Ce produit doit être exempt de sucre, de levures, de soja et d'autres allergènes communs.

Il existe plusieurs excellents produits du genre sur le marché: *Sisu-Dophilus*, *Primadophilus*, *Bio-Dophilus*, *Kyo-Dophilus* et plusieurs autres.

1. Afin que la formule de bactéries lactiques vous donne les résultats escomptés, respectez les conditions suivantes:

a) Prenez vos bactéries le soir au coucher ou 45 à 60 minutes après le repas;

b) Assurez-vous de prendre vos suppléments de bactéries lactiques avec de l'eau de source, de l'eau distillée ou de l'eau purifiée par osmose inversée;

c) Évitez de prendre du café, du thé ou de l'alcool en même temps que vos bactéries lactiques;

d) Gardez vos bactéries lactiques au réfrigérateur ou au congélateur;

e) Si vos bactéries lactiques non-laitières dégagent une forte odeur de *yogourt*, elles ne sont probablement plus *viables*. Vous devez vous en procurer d'autres;

f) Assurez-vous que les bactéries lactiques sont réfrigérées lorsque vous les achetez.

2. Les capsules de yogourt ne contiennent définitivement pas une concentration suffisante de bactéries pour refaire la flore. Des doses massives (environ cinq à dix milliards de bactéries par jour) sont nécessaires au traitement du candida, selon une thèse de doctorat présentée par R.H. Ellis à l'Université du Wisconsin en 1957.

   Or, les capsules de yogourt n'en contiennent que 200 millions par comprimé (parfois moins). Pour obtenir le résultat voulu, il faudrait en prendre plus de 50 par jour.

   Les L.Bulgaricus et Thermophilus sont les bactéries lactiques utilisées pour faire le yogourt. Leurs propriétés thérapeutiques n'ont pas été établies. Le yogourt n'est pas recommandé pour traiter le candida pour les raisons énoncées plus haut.

L'utilisation de bactéries lactiques est cependant indispensable dans le traitement contre la levure de type candida.

3. Le gel d'aloès adoucit et cicatrise les muqueuses intestinales. Il est très efficace pour toutes les formes d'irritations intestinales. Le gel d'aloès contient des substances antibiotiques naturelles qui offrent probablement une explication pour les diverses applications de cette substance.

   Il faut en prendre au moins une cuillèrée à soupe par jour dans un jus de légumes ou de l'eau avant un repas. Aloex, Quest et Forever Living offrent d'excellentes formules d'aloès.

4. Une substance hydrophile et mucilagineuse telle que le psyllium peut aider à améliorer l'élimination et aider à faire absorber un certain nombre de toxines produites par les champignons, gardant ainsi le milieu intestinal sain.

28. Assurer l'hygiène du côlon par des irrigations

L'irrigation du côlon est à toutes fins pratiques un *bain* interne visant à nettoyer l'intestin et à le tonifier. Le côlon est une glande endocrine, reliée aux sécrétions du pancréas et des autres organes de digestion. L'irrigation peut donc aider, entre autres, à restaurer les fonctions digestives. Plusieurs études démontrent le lien entre l'état du côlon et différentes maladies, incluant l'asthme, la candidose, l'hypertension, l'arthrite et certaines allergies.

L'état des muqueuses intestinales joue un rôle majeur chez ceux qui souffrent de candidose, d'allergies ou d'arthrite rhumatoïde. L'irrigation permet d'améliorer l'état des muqueuses et d'ainsi réduire l'absorption de toxines ou d'allergènes. De plus, l'accumulation anormale de mucus crée un milieu idéal pour la culture des champignons. Pendant l'irrigation, *ce milieu de culture* est éliminé.

Un praticien ayant d'excellents succès dans le traitement de la candidose, le Dr Christopher Deatherage de Chamois au Missouri, suggère de suivre une série d'irrigations avant de commencer le programme afin d'assurer une meilleure *prise* des bactéries lactiques et de réduire l'absorption des toxines qui causent la *réaction de Herxheimer*.

Si votre praticien de la santé juge que les irrigations sont superflues ou que vous ne pouvez y recourir pour différentes raisons, vous devez au moins assurer l'hygiène intestinale avec un produit à base de psyllium.

29. Refaire les muqueuses intestinales

N-Acétyl-glucosamine, NAG: Des chercheurs ont découvert que ce sucre aminé (hexosamines), en tant que *précurseur* des glycoprotéines et des glycoaminoclycanes, peut avoir un rôle extrêmement bénéfique au niveau de la santé et, en ce qui nous concerne, dans la guérison des muqueuses intestinales et vaginales.

Ce sucre aminé particulier a fait l'objet de plusieurs études sérieuses. Certains auteurs spéculent que les sucres aminés jouent un rôle dans l'activité des antibiotiques. Plusieurs antibiotiques contiennent des sucres aminés dans leur molécule.

Il y aurait, croit-on, corrélation entre l'activité antibiotique de ces médicaments et la présence de sucres aminés dans les molécules de ces mêmes médicaments.

A titre de *précurseur* des glycoprotéines, le produit joue un rôle dans la formation:

a) Des protéines structurales (parois cellulaires, collagène, fibrines, trame osseuse)

b) Des lubrifiants et agents protecteurs (mucines, sécrétions muqueuses).

c) Des molécules de transport (vitamines, lipides, minéraux et oligo-éléments)

d) Des molécules immunologiques (immunoglobulines, antigènes d'histaminocompatibilité, interféron, compléments)

e) Des hormones (gonadotrophine chorionique, thyrotrophine/TSH)

f) Des enzymes (protéases, nucléases, glycosidases, hydrolases, facteurs de coagulation)

g) De la fixation cellulaire/sites de reconnaissance (cellule/cellule, virus/cellule, bactérie/cellule, récepteurs hormonaux)

h) Des lectines

Dans le cas de la candidose, des allergies alimentaires et respiratoires, de certaines maladies atopiques telles que l'asthme et l'eczéma, de certaines maladies articulaires telles que l'arthrite et l'ostéoarthrite et de différentes pathologies intestinales dont les colites ulcéreuses, la maladie de Crohn et le syndrome du côlon irritable, nous utilisons le N-Acétyl-glucosamine (NAG) pour nourrir le système et favoriser la réparation des muqueuses.

30. Combler les carences particulières

Les gens souffrant de candidose ont souvent des carences alimentaires. Il est nécessaire pour accélérer le processus de guérison et permettre au patient de vaquer à ses occupations quotidiennes de combler ces carences nutritives et d'améliorer les fonctions organiques. De plus, il faut éliminer les substances causant des allergies spécifiques.

Quant au choix spécifique des suppléments de vitamines et de minéraux, je recommande les produits fabriqués par Quest.

31. La vitamine A

Rétinol est le nom chimique de la vitamine A sous sa forme naturelle. Elle est essentielle pour la photoréception au niveau des bâtonnets et des cônes rétiniens. Cette vitamine joue également un rôle physiologique central au plan de la formation et du maintien des tissus épithéliaux sains. Ces tissus servent à titre de barrière protectrice principale du corps contre les infections.

L'épithélium comprend la peau, les membranes muqueuses tapissant les cavités oculaires et orales ainsi que le tractus gastro-intestinal, les voies respiratoires et génito-urinaires. C'est précisément cette fonction qui est à la base des recherches reliant l'incidence du cancer à la carence de rétinol.

Une carence en vitamine A augmente la susceptibilité aux infections bactériennes, virales ou parasitaires. Elle est donc utile comme vitamine anti-infectieuse et indispensable à l'immunité. Cette vitamine est également requise pour soutenir les fonctions normales des organes génitaux tant chez la femme que chez l'homme.

32. Bêta-carotène

Jusqu'à récemment, la bêta-carotène était étudiée uniquement en tant que précurseur du rétinol. En effet, une grande proportion de carotène est convertie en rétinol. Une molécule de bêta-carotène produit deux molécules de rétinol. Néanmoins, le résidu non converti de la bêta-carotène est tout aussi important.

Des recherches ont démontré que ce sont les caroténoïdes, la forme végétale de la vitamine A et non le rétinol, sa forme animale, qui ont des propriétés antioxydantes et antimutagènes protectrices.

Des études ont aussi démontré qu'une relation inverse existe entre la consommation de bêta-carotène et le risque de cancer du poumon. D'autres recherches ont indiqué que des apports élevés de bêta-carotène diminuent le risque de cancer des voies respiratoires, de la peau, de l'intestin, de l'utérus et du col utérin. Des études menées sur des êtres humains ont révélé que la bêta-carotène agit à des niveaux d'environ 10 000 à 30 000 unités par jour comme agent protecteur contre le cancer du poumon causé par la fumée.

Les caroténoïdes naturels, ceux qu'on retrouve dans les légumes et dans certains suppléments alimentaires (dunaliella, spiruline, chlorella, luzerne, poudre d'orge, etc), n'ont aucune toxicité et sont probablement plus bio-actifs que les suppléments naturels isolés de bêta-carotène, de vitamine A de source naturelle ou encore de rétinol.

Le *Kyo-Green*, le *Sun-Chlorella* et la Spiruline de Hawaï sont d'excellents aliments *verts* concentrés.

Pour la candidose, il importe d'assurer un apport adéquat de vitamine A. Je conseille la bêta-carotène puisque celle-ci assure l'intégrité des muqueuses intestinales et vaginales (dans le cas de vaginites) ainsi que pour son rôle au niveau immunitaire.

33. Les vitamines du complexe B

La majorité des gens souffrant de candidose ont une carence en vitamines du complexe B. En effet, une carence en vitamines B peut prédisposer aux allergies, à l'hypoglycémie ou à la candidose. L'alimentation qui favorise le développement excessif du candida est souvent dépourvue de vitamines du complexe B. Il faut donc suppléer l'alimentation avec des vitamines B. Si certains symptômes indiquent que le système nerveux est particulièrement atteint, on doit avoir recours à des doses plus fortes.

La levure est une source privilégiée de vitamines B. En effet, nombre de bons produits sont fabriqués à partir de cet aliment. Par contre, les personnes atteintes de candidose ou encore celles qui souffrent d'allergies doivent les éviter. Au début, il faut donc choisir un supplément du complexe B sans levure.

34. Quelques donnés sur les vitamines B

1) Il existe plusieurs vitamines B (de B1 à B17). Elles forment le complexe B.

2) Les vitamines du complexe B agissent en tant que coenzymes dans l'organisme. Elles sont donc nécessaires pour activer certains enzymes.

3) Selon plusieurs études, les vitamines B aident à contrôler l'envie de consommer des aliments sucrés. Ceci est évidemment très important dans le traitement de la candidose tout comme dans celui de l'hypoglycémie.

4) Les vitamines du complexe B sont essentielles au bon fonctionnement du système nerveux.

5) Parce que les vitamines B sont hydrosolubles, elles sont très sécuritaires. L'organisme prend ce dont il a

besoin, emmagasine ce qu'il peut et élimine le surplus.

6) Les vitamines du complexe B servent de coenzymes dans le processus permettant de libérer l'énergie fournie par les glucides. Certaines, dont la vitamine B12 et l'acide folique, aident à fabriquer l'hémoglobine du sang. Elles sont nécessaires pour prévenir l'anémie.

7) Les vitamines du complexe B sont dites anti-stress.

35. Comment choisir la vitamine du complexe B

Il existe une grande variété de vitamine dans le complexe B. Il faut choisir un produit qui contient le moins d'éléments allergènes possible. Il ne doit pas y avoir de sucre, de levure, de maïs, de produits laitiers, de soja, de colorants, de produits artificiels ni d'agents de conservation.

Dans certains cas, le produit idéal doit réunir des doses du complexe B, dont au moins 50 mg des vitamines B1, B2, B3, B5, B6, la choline et l'inositol. Il doit aussi contenir un minimum de 50 mcg de vitamine B12, 1 mg d'acide folique et 35 mg d'APAB (PABA). Il doit aussi fournir les vitamines B2, B6 et B12 sous leur forme de coenzyme.

Certains préfèrent prendre des aliments concentrés plutôt que des suppléments. Ils ont l'impression que ces aliments contiennent les vitamines sous une forme qui s'absorbe mieux que les produits isolés. C'est aussi ma conviction et mon observation chez certains patients. D'après une étude du College of Medicine and Dentistry du New Jersey et les recherches du Department of Chemistry de l'University of Scranton en Pennsylvanie, les aliments concentrés s'absorbent et s'utilisent mieux que les suppléments isolés conventionnels. Néanmoins, il faut être très prudent à cause de la grande susceptibilité aux allergies chez les gens souffrant de candidose. Je préfère les comprimés de vitamines et minéraux non-alimentaires au début du programme, quitte à recommander soit du pollen (de fleurs ou d'abeilles) avec de la gelée royale ou de la levure alimentaire lorsqu'ils sont bien rétablis.

Parmi les différents produits de ce genre, notons les produits *Montana* et *Flora. Inner-Source* de Quest est un supplément à base de concentrés alimentaires qu'on a fortifié et *équilibré* avec des vitamines-minéraux et des enzymes végétaux. Ainsi, ce produit offre le meilleur des deux mondes: des aliments complets concentrés et un équilibre nutritionnel optimal basé sur les recherches des Docteurs Cheraskin et Ringsdorf.

36. La vitamine B3

La vitamine B3, niacine ou acide nicotinique, est une autre vitamine du complexe B qui joue un rôle important en cas de candidose et d'hypoglycémie.

Elle est une composante des coenzymes présents dans toutes les cellules contribuant au processus métabolique, y compris le métabolisme de la glycolyse et des acides gras et la respiration tissulaire. Elle contribue au maintien des rythmes normaux de la croissance et à la production adéquate d'énergie.

Elle sert à promouvoir la synthèse des sels biliaires requis pour la digestion des corps gras et l'absorption de vitamines et autres nutriments liposolubles. Elle règle la synthèse de la thyroxine (hormone thyroïdienne), de l'insuline et des hormones de croissance. Avec le chrome, elle fait partie du facteur de tolérance de glucose (FTG). C'est une substance extrêmement importante dans le métabolisme des sucres, des gras et des protéines.

La forme la plus bio-active de la vitamine B3, la niacine, diminue substantiellement les concentrations de cholestérol sanguin tout en aidant à dilater les vaisseaux sanguins et à améliorer par le fait même la circulation. De fortes doses donnent des résultats thérapeutiques positifs sur les systèmes nerveux central et cardio-vasculaire, ainsi que sur la glycémie.

Une carence de vitamine B3 peut mener aux symptômes suivants:

a) Des inflammations cutanées

b) Des troubles de comportement, incluant la dépression et la schizophrénie, ainsi que certains symptômes de la sénilité

c) De la diarrhée

d) Des faiblesses musculaires

e) De l'anorexie

f) Des indigestions

g) De l'hypoglycémie ou certains types de diabète

h) Des symptômes de la maladie de Menière

i) De la haute tension artérielle

j) Des migraines à répétition

k) De l'obésité

l) De l'insomnie

Pour la personne souffrant de candidose ou d'hypoglycémie, la niacine utilisée avec le chrome peut aider à réduire les rages de sucre et augmenter le niveau d'énergie tout en améliorant le métabolisme des glucides.

La vitamine B3 est disponible sous deux formes, la niacine (forme biologiquement plus active) et la niacinamide. Chez certains individus, la niacine peut causer certains symptômes désagréables, quoique bénins. Ces symptômes peuvent inclure des bouffées de chaleur et des rougeurs ainsi que des démangeaisons cutanées.

Afin de réduire les risques de réactions, il faut prendre tout supplément contenant de la vitamine B3 sous forme de niacine après un repas et non à jeun.

37. La vitamine B6

La vitamine B6 (pyridoxine) est une autre vitamine essentielle au traitement de la candidose. Cette vitamine contribue au métabolisme des acides aminés à partir desquels sont constitués les anticorps.

Une carence en vitamine B6 peut amoindrir l'activité immunitaire. Elle peut prévenir les effets secondaires de certains médicaments, dont la pilule contraceptive. Une carence en vitamine B6 va souvent de pair avec l'asthme, le diabète, les maladies cardiaques et l'hyperactivité. La vitamine B6 aide à réduire certains symptômes prémenstruels dont la tension, l'anxiété et la rétention d'eau. Presque tous les gens souffrant d'infection due au candida manquent de vitamine B6.

D'autres vitamines du complexe B sont aussi utiles dans le traitement du candida albicans: les vitamines B3, B5, B12, l'acide folique, l'inositol et la choline. Un supplément de vitamines B fournira les doses nécessaires pour contrer les effets du candida.

Un praticien de la santé peut décider de prescrire une ou

l'autre des vitamines mentionnées ci-dessus en plus forte concentration. En effet, cela va selon les besoins individuels.

38. La vitamine C

La vitamine C (acide ascorbique) est sans contredit la vitamine la plus populaire. Grâce en grande partie aux travaux du Dr Linus Pauling, prix Nobel de chimie, cette vitamine est maintenant la plus utilisée en Amérique du Nord. Cette popularité n'est pas sans fondement scientifique. La polyvalence de la vitamine est reconnue grâce aux recherches scientifiques qui ont démontré son importance pour l'organisme humain.

Cette vitamine est unique. Cette vitamine est la seule dont dépend tous les tissus et organes du corps. En effet la vitamine C régit la formation et le maintien du *mortier intercellulaire*, le tissu conjonctif. L'intégrité cellulaire de tous les tissus et organes dépend donc de cette vitamine.

Elle est essentielle au traitement du candida pour diverses raisons:

1) Les gens souffrant d'une infection à la levure de type candida albicans sont habituellement sensibles aux polluants atmosphériques. Or, cette vitamine constitue un excellent désintoxicant. De plus, elle est l'un des principaux antioxydants. Elle participe à l'activité des enzymes responsables du métabolisme des médicaments et de certains produits endogènes dont les hormones. Le candida active la myéloperoxidase qui nuit à l'activité des leucocytes. La vitamine C est de loin la meilleure substance pour neutraliser cette réaction.

2) La vitamine C est nécessaire à l'absorption du fer et à la formation de ferritine (la forme sous laquelle le fer

est emmagasiné dans le foie). Elle sert donc à la prévention de l'anémie.

3) La vitamine C est indispensable au métabolisme de la tyrosine qui sert au fonctionnement de la glande thyroïde.

4) Elle participe au contrôle de la plupart des sécrétions hormonales.

5) La vitamine C joue un rôle important sur le plan de la production d'énergie.

6) La vitamine C participe directement à la synthèse des anticorps. Elle stimule le système immunitaire et aide à augmenter la production des lymphocytes.

7) Sous l'effet d'un stress, le taux d'acide ascorbique de la zone corticosurrénale baisse rapidement. Or la vitamine C accomplit un rôle important dans la synthèse des corticostéroïdes. Sa réputation de vitamine antistress est donc parfaitement justifiée.

8) Certains experts affirment qu'elle peut:

   a) Tuer des bactéries pathogènes

   b) Accélérer le processus de guérison dans presque tous les cas pathologiques

   c) Augmenter l'énergie sexuelle

   d) Prévenir le vieillissement prématuré

   e) Prévenir la grippe et le rhume

   f) Réduire les dépôts de cholestérol et prévenir le cancer

Une vitamine seule ne suffit pas à nourrir l'organisme. Il faut pour cela la gamme complète des vitamines. Il faut surtout les vitamines naturelles telles qu'on les retrouve dans les aliments naturels frais. Par contre, s'il fallait ne prendre ou ne recommander qu'un seul supplément pour contrer presque toutes les affections ce serait la vitamine C.

En effet, la vitamine C joue un rôle important dans la thérapie visant à enrayer le candida. Elle renforce le système immunitaire. Notons que le docteur Robert Cathcart utilise la vitamine C pour combattre le SIDA.

39. Quelle vitamine C choisir?

La vitamine C existe sous différentes formes. La forme conventionnelle, l'acide ascorbique, est très acide. Elle a un pH d'environ 1,9. Le calcium d'ascorbate (ou les autres formes de vitamine C avec minéraux) a un pH variant entre 5 et 7. Il est donc beaucoup moins acide.

On recommande, lorsque c'est possible, de prendre la vitamine C en poudre, en capsule ou en liquide car elle s'assimile mieux ainsi. Afin de lier les différentes composantes sous forme de comprimé, il faut utiliser des substances qui peuvent parfois nuire à la digestion ou à l'assimilation de la vitamine.

40. La vitamine E

Selon le Dr Richard Passwater, les vitamines C et E sont requises en plus grandes quantités que les autres vitamines à cause de leur rôle antioxydant. Selon lui, la *thérapie antioxydant* (utilisant les vitamines C et E) peut prolonger la vie de neuf à dix ans.

Les antioxydants (surtout les vitamines A, C, E et le sélénium) participent pleinement au contrôle des allergies.

L'individu affecté par le candida albicans subit souvent des allergies multiples. Celles-ci sont causées par divers problèmes dont l'absorption de molécules de protéines dans le sang et la formation de radicaux libres (voir la rubrique à ce sujet). Les antioxydants réduisent le taux de radicaux libres.

La vitamine E protège l'organisme de l'oxydation de certains produits essentiels au métabolisme cellulaire. Elle empêche l'oxydation de la vitamine A, des acides gras et d'autres substances enzymatiques et hormonales. Elle contribue à la régulation de l'hémoglobine.

Cette vitamine exerce au sein de l'organisme diverses fonctions importantes. Elle réduit le besoin d'oxygène et accroît l'oxygénation de l'organisme. Cette vitamine est un agent vasodilatateur efficace. Elle dilate les vaisseaux sanguins et améliore la circulation. Elle prévient la formation de cicatrices. La vitamine E est un anticoagulant qui aide à prévenir les thromboses. Elle réduit l'agrégation des plaquettes, tout comme l'aspirine, mais sans les effets secondaires de cette dernière. On l'utilise dans le traitement des maladies du coeur, de l'asthme, de l'angine de poitrine, des varices, de l'hypoglycémie et autres. Cette vitamine forme avec la vitamine C et le sélénium ce qu'on appelle le complexe antioxydant.

Il existe deux formes de vitamine E: la forme Dextro Alpha Tocophérol (D), la source naturelle et la forme Dextro-Levo Alpha Tocophérol (DL), la forme synthétique.

Dans les magasins, vous trouverez cette vitamine sous les deux formes: D-Alpha Tocophérol et DL-Alpha Tocophérol. La plus active chez l'être humain est Dextro ou D-Alpha Tocophérol.

En cas de candidose, il est recommandé de prendre la vitamine E sous l'une des quatre présentations suivantes: émulsifiée, micellisée, en gélules et sèche (en capsules ou caplets).

41. Minéraux et oligo-éléments

Les minéraux et les oligo-éléments font parties intégrantes du traitement du candida. L'analyse des cheveux demeure l'une des meilleures façons de vérifier le taux de minéraux dans l'organisme. Selon le docteur Jeffrey Bland, cette analyse fournit des données qui ne sont pas accessibles d'autres manières.

42. Le chrome

Le chrome est un oligo-élément important en raison de sa présence dans une substance qu'on nomme facteur de tolérance de glucose. Il stimule l'activité des enzymes impliqués dans le métabolisme du glucose pour la production d'énergie. Il contribue à la synthèse des acides gras essentiels et des protéines indigènes. Malgré tout, le chrome demeure l'un des oligo-éléments les moins bien connus.

Le chrome normalise le métabolisme des glucides et la courbe glycémique prévenant ou améliorant les symptômes d'hypoglycémie ou de diabète. Il est indispensable à la croissance du foetus. Il aide à contrôler le taux de cholestérol et de tryglicérides. Une carence à long terme de chrome peut provoquer des cataractes. Il joue un rôle dans l'hypertension et l'artériosclérose. Il joue un rôle au niveau immunitaire. En effet, son taux diminue lors d'une infection.

La levure de bière est probablement la meilleure source naturelle de chrome. Par contre, pour ceux qui souffrent de candidose, il est mieux de s'abstenir d'en prendre jusqu'à ce que l'allergie à la levure soit écartée.

Les meilleures formes de chrome (excepté la levure de bière) sont le chrome trivalent, le chrome GTF et le polynicotinate de chrome.

43. Le magnésium

Le magnésium peut aussi favoriser une thérapie. Il risque cependant d'être éliminé par des diarrhées ou autres déséquilibres intestinaux causés par le candida.

Selon le Dr Leo Galland, la carence en magnésium est probablement la plus courante chez les gens souffrant de candidose. Il faut donc souvent ajouter du magnésium au régime. Pour assurer une absorption optimale, il recommande le magnésium chélaté ou lié à un intermédiaire du Cycle de Kreb, le citrate de magnésium.

On lui doit:

a) L'utilisation des vitamines B et E

b) L'utilisation des gras, du calcium et des autres minéraux

c) L'équilibre acide/alcalin du corps

d) La production de lécithine. Il prévient l'accumulation de cholestérol

e) Il intervient dans les contractions musculaires et dans les fonctions nerveuses

f) Il joue un rôle important dans plusieurs systèmes d'enzymes

44. Le sélénium

Le sélénium est un oligo-élément qui entre dans la composition de l'enzyme glutathione peroxydase. Cet enzyme a une propriété antioxydante essentielle.

Le sélénium joue donc un rôle de premier plan en tant qu'antioxydant. Cet oligo-élément favorise aussi le fonctionnement normal du coeur. Parce que plusieurs enzymes dépendent de cet élément, il joue un rôle indirect sur différents plans. Il protège les muscles et les gardent sains. Il stimule la production d'anticorps. Il synthétise les protéines dans le foie et les globules rouges. Il active les ADN et ARN. Il lie l'oxygène à l'hydrogène. Il joue un rôle important dans la réaction immunitaire contre le candida.

A l'instar d'autres minéraux, on retrouve le sélénium sous plusieurs formes. La forme de sélénium la plus naturelle est extraite de la levure. En cas de doute d'allergie à la levure, il faut opter pour un supplément de sélénium sans levure, idéalement sous forme chélatée.

45. Le zinc

Le zinc est un autre minéral qui peut s'avérer utile dans le traitement du candida. Il est essentiel à la croissance normale. Il combat la maladie. Il réduit l'inflammation. Il aiguise l'odorat, la vue et l'ouïe. Il est essentiel dans la formation de l'ADN, l'ARN et dans la synthèse des protéines. Il participe à la respiration tissulaire. Il favorise le métabolisme de l'énergie. Il est requis pour le métabolisme de la vitamine A et la formation des os. Il joue un rôle important au niveau du métabolisme des sucres. Une carence en zinc peut affaiblir l'immunité cellulaire.

Le *syndrome de la levure* est un problème complexe qui affecte l'organisme humain en entier. En plus des carences en vitamines et en minéraux, certaines insuffisances doivent être comblées par des suppléments alimentaires. A l'instar de tous les autres minéraux, à l'exception du chrome, préférez le zinc sous la forme chelaté avec de la protéine végétale hydrolysée. Le procédé exclusif utilisé par Quest assure qu'on ne retrouve aucun glutamate de monosodium (MSG) dans les minéraux chelatés. Ce n'est pas toujours le cas.

46. Les meilleures sources

Les acides gras essentiels sont requis par l'organisme pour plusieurs fonctions métaboliques importantes. Ils sont essentiels parce que ces gras (surtout les oméga-6 et oméga-3) ne sont pas produits par l'organisme. Ils doivent donc être fournis par le régime alimentaire.

Les acides gras sont requis pour le développement normal du cerveau, la formation des membranes cellulaires, le métabolisme du cholestérol et des triglycérides, ainsi que pour la production d'énergie au niveau cellulaire.

Ils agissent aussi à titre de précurseurs de substances similaires aux hormones telles que les prostaglandines.

Selon plusieurs experts, les carences en acides gras essentiels s'apparentent à diverses maladies dont le cancer, les troubles cardio-vasculaires, la sclérose en plaques, la fibrose kystique, la tension prémenstruelle, les troubles de comportement, les cicatrisations difficiles, l'arthrite, l'atrophie glandulaire, l'affaiblissement des fonctions immunitaires et la stérilité. Les bénéfices thérapeutiques sont donc extrêmement répandus. De plus, plusieurs recherches ont démontré que les acides gras diminuent substantiellement le risque de développement de ces maladies.

La plupart des gens souffrant de candidose démontrent des signes cliniques d'une carence en acides gras essentiels.

L'huile de graines de lin est extrêmement riche en AGE de

chaque type, à savoir environ 55% d'acide alpha-linolénique et 16% d'acide linoléique, le reste étant formé d'environ 18% d'acide oléique et de 10% d'acides gras saturés.

Puisque l'huile de graines de lin à l'état naturel, pressée à froid et non raffinée, produit des acides gras oméga-3 en abondance, à savoir environ deux fois autant que l'huile de poisson, elle s'avère de qualité supérieure à toutes les autres et représente donc la plus désirable des huiles végétales pour la consommation humaine (jamais pour la cuisson).

Omega Nutrition, Flora et Orphé offrent une huile de lin de très haute qualité. Elle satisfait toutes les exigences de production. L'huile de bourrache: Les feuilles et les racines de la bourrache, bien qu'elles aient été utilisées depuis des années comme aliment nutritif, n'ont été utilisées que très récemment pour leur graines, source appréciable de AGL. Les concentrations extrêmement élevées de l'huile de bourrache peuvent atteindre jusqu'à 26 % d'acides gras sous forme d'acide gras oméga-6 ou AGL.

Certains auteurs invitent à la prudence en ce qui concerne la bourrache puisque certaines toxines possiblement cancérigènes ont été isolées de cette plante.

Huile d'onagre: L'onagre est une plante dont les graines contiennent en elles-mêmes l'acide linoléique essentiel ainsi qu'un produit de cet acide, appelé AGL. Cette huile est exceptionnelle car elle contient environ 72% d'acide linoléique mais de petites quantités seulement d'acides oléiques non essentiels - palmitique (6%) et stéarique (2%). Elle contient en outre 9% d'acide gamma linolénique, un acide gras faisant défaut à de nombreuses graines de plantes.

Cette huile est très populaire chez les personnes souffrant du syndrome prémenstruel, de la sclérose en plaques, d'une forme d'eczéma (atopique), d'asthme, de psoriasis, de candidose et de différentes pathologies associées à une carence d'acides gras.

L'huile d'onagre et les suppléments d'acide gamma linolénique sont pratiquement synonymes puisque la plupart de l'acide gamma linolénique (AGL) disponible sous forme de suppléments est dérivée de l'huile d'onagre.

Certains individus ont de la difficulté à transformer les gras (n-6) dans leur forme active, l'AGL. L'huile d'onagre offre cet acide déjà converti.

Afin de conserver toute la valeur thérapeutique de l'huile et d'éviter la présence de résidus de solvant, il est très important que toutes les huiles utilisées soient pressées à froid et sans ajout de solvants. J'aimerais citer le Dr Alain Blondil de l'Association Médicale Kousmine: «Actuellement, par souci de rentabilité, on a ajouté un pressage à froid après mélange de la graine avec un solvant (hexane), ce qui permet de recueillir 100% des corps gras. On sépare ensuite l'huile du solvant par distillation. L'hexane est un produit volatile mais il est impossible de le récupérer totalement.» «Ces solvants s'intègrent aux corps gras et sont ensuite impossibles à éliminer totalement... Il est quasiment impossible de les séparer.» «De plus, elles (les huiles) contiennent alors des substances impropres à la consommation.»

Plusieurs excellents produits d'huile d'onagre sont disponibles sur le marché. Notons entre autres, les huiles produites par Quest, Efamol ou Natural Factors.

Comme on peut le voir, la supplémentation d'acides gras essentiels est extrêmement importante, particulièrement pour ceux qui souffrent d'un déséquilibre alimentaire et surtout lorsque le régime alimentaire en est carencé.

Pour des raisons génétiques, certains individus doivent aussi ajouter de l'huile d'onagre à leur régime afin de fournir une forme préconvertie d'acides gras au régime. Discutez-en avec votre praticien de la santé.

47. Améliorer l'absorption avec des enzymes digestifs

Nous ne sommes pas ce que nous mangeons, mais plutôt ce que nous digérons et absorbons. L'utilisation de suppléments alimentaire a sa place dans le traitement de la candidose. Par contre, il est plus logique d'augmenter le degré de digestion, c'est-à-dire l'absorption des substances nutritives que l'on retrouve dans nos aliments. Avant même d'opter pour des suppléments, il est très important d'assurer une digestion aussi parfaite que possible. Le candida peut être causé, entre autres choses, par des aliments mal digérés qui perturbent l'équilibre de l'organisme.

Des études ont démontré que la digestion incomplète des protéines peut créer de nombreux ennuis à l'organisme. Notons entre autres que certains enzymes digestifs sont responsables du contrôle des parasites au niveau de l'intestin grêle. Une carence enzymatique peut donc prédisposer à un développement anormal de parasites, incluant des bactéries, la levure et des vers.

De plus, puisque les enzymes digestifs aident à la décomposition normale des protéines, une carence qui mènerait à la formation de peptides pourrait prédisposer à des allergies. Les enzymes (protéases) peuvent servir à titre préventif et même, selon certains auteurs, ils peuvent être utilisés pour le traitement d'allergies.

Puisque, selon certaines recherches, les allergies jouent un rôle dans plusieurs maladies courantes dont l'arthrite, l'hypoglycémie et diverses maladies inflammatoires, les suppléments enzymatiques peuvent s'avérer très utiles, voire nécessaires.

Nous avons sous-estimé la supplémentation d'enzymes digestifs dans le programme du traitement de la candidose. De plus, ceux qui les recommandent ont une prédilection pour la pancréatine. Or, un nombre croissant d'études démontrent que les enzymes végétaux sont supérieurs à la bétaïne ou à la pancréatine parce qu'ils s'activent mieux à la température du corps humain.

Des études démontrent à présent que les enzymes peuvent être absorbés dans le sang et décomposer les fragments de protéines non digérés présents dans le sang, réduisant ainsi les réactions allergiques. Plusieurs excellentes formules d'enzymes digestifs végétaux sont offertes. *Foundation Enzymes* est le spécialiste des enzymes digestifs depuis 1932. Ils produisent un composé d'enzymes digestifs dont le but est de répondre particulièrement aux besoins des gens souffrant de candidose: *Candida-Zyme*.

48. Détruire la levure et les différents fongicides utilisés

La levure devient fongueuse. Sous cet aspect, elle produit des racines qui pénètrent les muqueuses. C'est alors qu'elle cause le plus de dégâts. Il devient donc nécessaire d'utiliser un fongicide pour la détruire.

La médecine conventionnelle utilise le *Nystatin*, un fongicide dérivé des moisissures. C'est un produit qui se lie à la membrane cellulaire du champignon ce qui en modifie la perméabilité. Les liquides environnants entrent alors dans le champignon qui gonfle et éclate. Le *Nystatin* est disponible en comprimés, en suppositoires, en crème, en onguent et en poudre.

Ce produit semble avoir peu d'effets secondaires et s'avère

efficace contre les levures à la surface de l'intestin. Par contre, certaines études laisse croire que le *Nystatin* peut créer une dépendance si on l'utilise durant une longue période.

Certains individus ont des réactions déplaisantes lors de l'utilisation de ce fongicide. Ces réactions peuvent être dues en grande partie à la réaction dite de Herxheimer dont il sera question plus avant. On peut souffrir de nausées, de maux de tête, de fatigue et de fièvre. Le *Nystatin* peut causer des réactions allergiques chez certains. De plus, ce produit n'affecte pas les levures qui se trouvent sur la paroi intestinale.

Nyzoral (ketoconazole): ce médicament est beaucoup plus puissant que le *Nystatin*. Il a une activité plus complète que ce dernier puisqu'il est absorbé par le sang qui le propage à tout l'organisme.

Par contre, le *Nyzoral* peut provoquer des effets secondaires indésirables. Il peut causer des nausées et, en certains cas, il peut entraîner des inflammations du foie. On doit donc prendre ce médicament sous la supervision d'un médecin afin de vérifier son effet sur le système hépatique.

Clotrimazole: cette drogue jadis administrée oralement est maintenant appliquée directement sur la partie infectée. Prise oralement, ses effets secondaires vont des hémorragies gastro-intestinales, à la diarrhée, aux hallucinations et aux déséquilibres mentaux de toutes sortes.

L'*Amphotericin B* (fungilin, fungizone, amphiomoronal) est surtout utilisé en Europe. Ce médicament agit sur la levure tout comme le *Nystatin*. Parce que ce produit n'est pas absorbé par la paroi de l'intestin, on doit l'injecter par voies intraveineuses.

Ce médicament peut entraîner de sérieux effets secondaires. Il peut endommager les reins et causer de l'urémie. En France, on le trouve sous forme de comprimé combiné à de la tétracycline. Il faut se rappeler que cette dernière (tétracycline) détruit la flore intestinale. A éviter.

Flucytosine: ce produit administré oralement détruit environ 50% des espèces de candida. Il se répand dans les tissus ainsi que dans les fluides de la colonne vertébrale et du cerveau. Cette drogue entraîne de graves effets secondaires: nausées, réduction du taux de lymphocytes, intoxication du foie, maux de tête, étourdissements.

Dans la gamme de fongicides utilisés par la médecine conventionnelle, le *Nystatin* en poudre semble le plus sécuritaire.

Parce qu'une compagnie pharmaceutique peut changer les formules de ses produits, les mises en garde énoncées dans cette section peuvent s'avérer désuètes. Seul un médecin peut déterminer exactement la valeur thérapeutique d'un produit.

Contrairement aux produits utilisés par la médecine officielle, les produits de l'arsenal naturel n'agissent pas de façon symptomatique. Leur rôle est d'apporter à l'organisme des substances naturelles qui assurent le retour à l'équilibre organique et ainsi le retour à la santé.

49. L'ail «remède miracle»

Les composés actifs de l'ail sont de puissant agents antibactériens. Ils gênent la reproduction et le développement des champignons sans pour autant affecter le patient. Des études démontrent que l'ail est plus efficace contre les levures pathogènes que le *Nystatin*.

Des centaines d'études élèvent l'ail au rang de modèle afin

de soulager les infections dues aux levures de type candida albicans. Ces substances actives sont des agents antibiotiques naturels en plus d'améliorer l'immunité de l'organisme. L'ail semble l'arme idéale contre le candida. C'est aussi l'un des plus vieux remèdes et on ne lui reconnaît pas officiellement d'effets secondaires typiques aux produits chimiques.

Par son effet sur le métabolisme de l'acide arachidonique, l'ail est efficace pour réduire l'inflammation causant certains symptômes tels que l'arthrite, l'asthme et l'eczéma.

D'après Earl Mindell, pharmacien et professeur de nutrition au Pacific Western University de Los Angeles, il est possible que l'ail soit «le remède miracle du monde végétal». Selon ce même auteur, l'ail aide à prévenir et à traiter les maladies cardio-vasculaires, les infections bactériennes, fongiques et virales, la haute tension artérielle, l'hypercholestérolémie et le cancer. Jusqu'à récemment, on croyait que l'allicin était l'agent actif le plus important de l'ail. Les suppléments d'ail étaient donc recommandés en fonction de leur concentration en allicin ou de leur potentiel d'allicin. J'ai moi-même mis l'emphase sur le potentiel d'allicin de l'ail pendant plusieurs années. Je crois qu'il est temps de rectifier cette erreur.

En ce qui concerne la candidose, l'allicin était considéré comme l'agent anti-fongique le plus important de l'ail. L'allicin n'est qu'une des différentes substances actives présentes dans l'ail. Les études du Dr Lau et d'autres de ses collègues présentées au Congrès mondial sur l'ail font état de plusieurs substances bio-actives présentes dans l'ail: ajoène, diallyl cystéine, diallyl sulfide, diallyl trisulfide, germanium, sélénium. Parmi celles-ci, l'ajoène est maintenant considérée comme une substance antifongique plus active que l'allicin.

Des études ont démontré que le *S-allylmercapto cystéine* et le *S-méthylmercapto cystéine*, deux acides aminés présents dans l'ail, protègent les cellules hépatiques contre les dommages causés par différentes substances toxiques.

Certains composants de l'ail, autre que l'allicin, facilitent l'élimination du mercure. Plusieurs fabricants profitent encore de la popularité de l'allicin ou du potentiel d'allicin. Dans la majorité des cas, ils sont mal informés.

La qualité de l'ail dépend de plusieurs substances actives. Celles-ci doivent être présentes en quantité suffisante si l'ail est de culture biologique. Il faut savoir si le type d'ail utilisé est génétiquement favorable à la production adéquate de ces substances et si l'ail a vieilli. Parmi les différents produits sur le marché, seul *Kyolic* bénéficie d'études exhaustives réalisées en laboratoires et en cliniques. La majorité sinon la totalité des études scientifiques faites sur les suppléments d'ail utilisent l'ail produit par Wakunaga au Japon et disponibles sous les marques *Kyolic*, *Leopin* et *SGP*.

En raison des difficultés à déterminer la valeur d'un produit, il me semble logique d'utiliser le supplément d'ail qui s'est avéré efficace lors d'études scientifiques en laboratoires et en cliniques et que mentionnent les études de l'Organisme mondial de la santé.

De plus, le seul ennui concernant l'ail provient de sa forte odeur et *Kyolic* est inodore. L'ail *Kyolic* est vieilli pendant 20 mois. Durant ce vieillissement, l'alline et l'allicin sont réduits en S-allyl cystéine et en diallyl disulfide. Cette procédure de vieillissement élimine la possibilité de toxicité et augmente considérablement la puissance antioxydante et antiradicaux libres de l'ail.

Afin de traiter le candida, on recommande de prendre deux

ou trois capsules d'ail en autant de fois par jour après les repas. A fortes doses, l'ail devient un puissant fongicide ayant l'avantage de n'avoir aucun effet secondaire. Il n'est pas toxique et il favorise l'immunité naturelle.

Tout en étant un excellent antioxydant, l'ail est probablement le meilleur fongicide connu. Il est une composante indispensable de l'arsenal naturel pour contrer les infections à champignons. Selon certaines études, il se serait avéré efficace contre certains micro-organismes responsables de la méningite et de l'encéphalite. Il est reconnu comme le plus ancien des *aliments-médicaments*. C'est un produit naturel qui nous rappelle les mots d'Hippocrate, le père de la médecine: «Que ton aliment soit ton remède».

50. Quelques effets bénéfiques de l'ail

L'ail aide à prévenir ou à traiter l'angine. Il réduit les taux sanguins de cholestérol du type LDL. Il réduit les niveaux sanguins de triglycérides. Il réduit l'agrégation des plaquettes sanguines. Il protège contre le cancer dont le cancer du sein, de l'estomac, du côlon et de la peau. Il protège contre des radicaux-libres et des effets de la radiation. Il aide à détoxifier les métaux lourds dont le mercure, les méthyle et phényle mercures. Il augmente le potentiel et l'activité immunitaire. Il offre une activité anti-inflammatoire. Il offre une excellente activité antifongique, antibactérienne et anti-virale.

51. L'acide caprylique

Autre fongicide naturel, l'acide caprylique est un acide gras que l'on retrouve surtout dans la noix de coco et dans le lait de chèvre. Des études démontrent que l'acide caprylique dissout la membrane cellulaire des levures, permettant des changements dans les fluides de la cellule ainsi que dans sa perméabilité. Ceci entraîne la destruction de la cellule.

Sans être toxique, l'acide caprylique est efficace contre tous les types de candida. Ce produit n'affecte pas la flore intestinale. De larges doses peuvent causer chez certains des diarrhées et des nausées. Ceci s'explique probablement par la réaction de Herxheimer ou par les ingrédients ajoutés aux capsules.

L'acide caprylique n'est ni un médicament ni une drogue mais un supplément alimentaire à base d'acide gras qui imite les acides gras qu'on retrouve dans le lait des mammifères. *Capricin* est l'un des meilleurs produits d'acide caprylique sur le marché.

52. La squalène ou alkylglycérol

La squalène est une huile de beauté naturelle développée à partir d'huiles purifiées de foie de requin, principalement le requin Aizame.

Ce composé est naturellement présent dans le tissu et le plasma humains, ainsi que dans le lait des mammifères. C'est un métabolite de la synthèse des stéroïdes.

On s'entend pour affirmer que les lipides développés à partir de foie de requin stimulent le système endothéliale. D'autres rapports leur imputent des activités anti-tumorales de la paroi cellulaire squelettique.

La squalène augmente la production de macrophages. Cette huile stimule, en outre, la résistance aux infections bactériennes. La squalène a également certaines propriétés antifongiques telles qu'indiquées par Masuda dans le journal des antibiotiques. Ses recherches ont démontré qu'elles rehaussent les effets de l'amphotéricine B (Fungizone) contre diverses espèces de types candida A cause de ces propriétés antifongiques, de nombreux médecins européens ont révélé l'efficacité de la squalène dans le traitement de la candidose.

La squalène est un immunostimulant alimentaire. L'immunostimulant alimentaire assume aussi un rôle important en tant qu'appoint extrêmement utile sous des conditions moins graves. Il peut être recommandé pour le traitement prophylactique de personnes démontrant les symptômes d'un déficit immunitaire.

La majorité des études scientifiques ont été effectuées avec un excellent produit Scandinave, *Ecomer*. Ce produit est disponible au Canada. C'est un produit sécuritaire. Néanmoins, il faut être prudent lorsqu'on a un foie peu robuste.

53. Pau D'arco (Taheebo, Iperoxo, Lapacho)

On utilise l'écorce intérieure de cet arbre sud-américain pour ses propriétés immunostimulantes et, selon certains auteurs, anticancérigènes. De nos jours le Pau D'arco est surtout utilisé en tant que substance pour soutenir l'organisme lors du traitement de la candidose. Bien que nous ne soyons pas complètement certains des mécanismes de son action, l'évidence clinique et l'impressionnant dossier d'anecdotes sérieuses incitent à croire à cette activité.

54. Mathaché (amande tropicale)

Cette plante offre une activité antifongique impressionnante. Cette plante utilisée spécifiquement contre le candida albicans est originaire des tropiques.

Plusieurs spécialistes, dont le Dr Robert Cathcart III, l'utilisent à la place du Pau D'arco avec d'excellents résultats. Elle est utilisée depuis des générations dans la médecine Fidjienne (îles Fidji) et cela sans effets secondaires.

55. Mise en garde touchant l'utilisation des plantes

Attention! la majorité des plantes doivent être prises pour de courtes périodes n'excédant pas soixante jours à la fois. Pour de plus longues durées, il faut prendre la plante pendant trente jours. Interrompre le traitement pendant deux semaines, puis recommencer pendant trente jours et cesser pendant quinze jours.

56. L'extrait de graines de pamplemousse

L'extrait de graines de pamplemousse est un tout nouveau produit dans l'arsenal naturel. C'est une substance naturelle dont l'efficacité est reconnue dans le contrôle de microorganismes, dont les champignons. Cette reconnaissance suit des tests aussi bien que la pratique clinique. De nombreux professionnels de la santé ont trouvé les préparations excellentes pour le traitement du parasitisme intestinal, d'infections virales et bactériennes et la candidose chronique. Ceci, même chez les patients résistant à tout autre type de thérapie et n'ayant aucun résultat avec les autres fongicides naturels ou chimiques.

Mieux que tout autre médicament, drogue ou préparation antifongique, ce produit se tolère bien pour l'individu hypersensible. Il n'affecte aucunement les bonnes bactéries.

La durée du traitement dépend du profil intégral des symptômes individuels. La marge de sécurité de cette préparation est si grande que de nombreux patients *immunodéprimés* prennent cette préparation depuis plus d'un an sans en subir de conséquences ou d'effets secondaires. Ces derniers ne développent pas non plus de résistance aux médicaments. L'individu à qui cette préparation unique ne suffit pas peut la combiner afin de produire l'effet plus puissant recherché.

L'activité de l'extrait de graines de pamplemousse semble résulter de la disposition structurelle particulière de ses constituants naturels qui forment une biomasse composée d'ascorbate, d'oligo-éléments, d'acides aminés et d'acides gras.

Cet extrait a fait l'objet d'études à des centres de recherches réputés, dont l'Institut Pasteur et plusieurs universités américaines. Il est disponible en liquide, en gelée ou en capsules. Il s'avère très efficace lorsqu'il est utilisé localement ou par voie interne. Sa présentation permet entre autres des douches vaginales, des applications locales comme substitut au savon. On peut aussi l'utiliser comme gargarisme.

Le Dr Leo Galland considère que la disponibilité accrue de l'extrait de graines de pamplemousse est extrêmement valable pour les patients souffrant de candidose ou de parasitisme chronique.

A mon avis, l'une des raisons pour lesquelles certains individus ont de la difficulté à se débarrasser du champignon c'est, qu'en plus du champignon, il se développe une flore intestinale anormale. On désigne maintenant cette anomalie par le terme dysbiose. Une flore composée de bactéries et de parasites empêche le développement normal de bonnes bactéries. De plus, ils produisent des substances qui surchargent le système. L'efficacité de l'extrait de graine de pamplemousse vient autant de son activité antiparasitaire et antibactérien que de son activité antifongique.

Puisque l'extrait de pamplemousse est aussi un puissant viricide, il est possible que son effet puisse combattre la fatigue chronique. Cette propriété pourrait aider certains individus souffrant de candidose et affligés par le virus Epstein-Barr, une forme de syndrome de la fatigue chronique.

A l'instar de plusieurs produits naturels, les études scientifiques ont été effectuées en utilisant un produit spécifique, le *Citricidal*. Ce produit est aussi disponible sous le nom de *Nutri-Biotic*. Il serait donc prudent de se limiter à l'utilisation de l'une de ces deux marques.

Je suggère fortement de prendre un supplément d'ail de qualité quel que soit l'autre fongicide utilisé. L'ail peut en effet bien complémenter l'activité de l'autre fongicide choisi.

Lors d'un récent colloque médical, un médecin a avancé l'hypothèse que l'extrait de graines de pamplemousse pourrait détruire les bonnes bactéries intestinales. Je n'ai rien trouvé pour démontrer cette hypothèse et dans tous les cas que j'ai suivi, l'extrait s'est montré très efficace. Il faut néanmoins agir avec prudence en prenant une source de bactéries lactiques lors de la prise du *Citricidal*. Il ne faut pas consommer ce produit plus que un à deux mois.

57. Autres fongicides naturels utiles

Au plan local, pieds, ongles, bouche et milieu vaginal, il existe plusieurs fongicides utiles. Parmi ceux-ci, nous pouvons noter les suivants:

a) L'huile d'ail: pour les raisons énoncées ci-haut. Diluée avec un peu d'eau pure (de source, filtrée ou distillée), application vaginale en douche. Utiliser l'ail liquide *Kyolic*.

b) L'extrait de petit-lait est utilisé depuis des décennies. L'acidité naturelle du petit-lait encourage le développement d'une flore vaginale et intestinale - consommé par voie interne -saine et décourage le développement anormal de candida. Le *Molkoforce* (Avoba) est un excellent produit de petit-lait lactofermenté.

c) L'huile du théier (l'arbre à thé-Melaleuca alternifolia):

l'huile de cette plante offre une excellente action antiseptique, antibactérienne et antifongique. Elle est utilisée localement pour traiter un nombre impressionnant de problèmes dont les infections fongiques. Elle est particulièrement utile lorsqu'elle est utilisée localement (diluée) pour les vaginites. Je recommande le *Ti-Bi Emulsion* ou l'un des produits importés par Thursday Plantation. Chez de rares personnes, cette huile peut parfois causer de l'irritation.

d) L'extrait de graines de pamplemousse: pour les raisons énoncées ci-haut. D'après les études publiées à ce jour, cet extrait a autant d'efficacité que l'huile du théier lorsqu'il est utilisé localement.

e) L'huile essentielle de verveine des Indes: il est reconnu depuis longtemps que les huiles essentielles de plantes offrent une activité thérapeutique incontestable. L'huile de cette plante s'est avérée très efficace comme substance antifongique. Pour l'utilisation locale (vaginale) n'en utiliser que très peu, quelques gouttes seulement, et les mélanger avec de l'huile d'amande douce afin d'éviter l'irritation des muqueuses.

f) Le gel d'aloès: cette substance cicatrisante peut être utilisée localement pour aider à nettoyer le milieu vaginal, réduire l'inflammation et agir contre les bactéries qui peuvent se développer simultanément au candida. Aloex, Quest et Forever Living offrent de l'aloès de qualité sous différentes formes.

g) Suppositoires homéopathiques *Yeast-Gard*: pour utilisation locale en cas de vaginites à répétition.

58. La réaction de Herxheimer et le foie

Au cours des premières semaines du traitement de la

candidose, certains symptômes sont susceptibles de s'accroître. Des malaises comme la grippe peuvent survenir. Certaines douleurs peuvent s'amplifier. La fatigue peut peser davantage.

L'exclusion du régime de certains aliments, allergènes ou d' excitants comme le café, auxquels l'organisme s'était habitué favorisent ces réactions. Puisque ces aliments créent une dépendance, les éliminer entraîne des réactions similaires à celles que subit un narcomane en cure de désintoxication. Le phénomène est semblable lorsqu'on cesse de fumer la cigarette. Cette modification peut provoquer des malaises tels que l'irritabilité et la boulimie. L'abandon du sucre ou d'autres aliments nuisibles entraîne fréquemment des réactions typiques au sevrage.

Lors du traitement de la candidose, tout l'organisme se concentre afin de se désintoxiquer et pour livrer combat au candida albicans. On fait le ménage. La désintoxication exige énormément de vitalité. L'énergie disponible pour l'exécution des fonctions est considérablement réduite.

Ces réactions surviennent pour différentes raisons:

a) alimentation insuffisante;

b) adaptation à un nouveau régime;

c) trop ou trop peu de glucides ou de protéines: une consommation excessive de protéines exige un plus grand effort des reins pour évacuer l'acide urique (résidus du métabolisme des protéines). Ce processus requiert beaucoup d'énergie, laquelle n'est pas utilisée à ce moment pour la désintoxication. Les naturopathes orthodoxes connaissent bien ce phénomène.

La réaction de Herxheimer est fréquente lorsqu'on suit ce genre de traitement. Elle peut même s'accroître lorsqu'on utilise un fongicide.

Les toxines libérées graduellement dans l'organisme par les champignons sont soudainement relâchées lorsque le candida albicans est détruit par le fongicide. Ceci provoque des symptômes similaires à la désintoxication.

On se sent d'abord mieux pendant une semaine ou deux puis on ressent des symptômes qui avaient disparu au début du traitement. Si on ne déroge pas au traitement, on subit la réaction de Herxheimer. Par contre, c'est un signe rassurant quoique difficile à supporter. Le champignon s'élimine, la guérison et la désintoxication s'opèrent.

Pour réduire l'impact de cette réaction, il est utile d'augmenter son apport en vitamine C et de soutenir la fonction hépatique en utilisant des substances naturelles qui le nourrissent. En effet, plusieurs auteurs ont démontré que l'une des causes secondaires de la candidose est une fonction anormale du foie dans son rôle de filtration des toxines. Des animaux chez qui on accroît l'absorption de toxines afin de surcharger le foie développent souvent la candidose. Certains auteurs croient que la même chose se produit chez l'être humain.

Une autre façon de réduire cette réaction - possiblement la meilleure - est de soutenir la fonction hépatique et d'encourager la désintoxication deux ou trois semaines avant de commencer à utiliser un fongicide.

Plusieurs méthodes existent pour renforcer la fonction hépatique. Je préconise l'utilisation de substances nutritives qui augmentent la capacité hépatique plutôt que de simples produits de nettoyage. Stimuler le foie n'est pas suffisant. Il faut aussi le renforcer pour qu'il puissent agir convenablement lorsqu'il est stimulé. Pour ce faire, je recommande deux approches complémentaires.

1. Le soutien phytothérapeutique

Utiliser des plantes qui nourrissent et soutiennent la fonction hépatique:

a) Le Silymarin (chardon Marie) protège le foie. On a observé une activité antioxydante qui protège le foie contre les dommages des radicaux libres que peuvent produire plusieurs substances que le foie tente d'éliminer. Cette plante est utilisée pour soutenir le foie dans des problèmes aussi graves que la cirrhose et l'hépatite chronique. De plus, ce qui est très important, le silymarin stimule la production de nouvelles cellules hépatiques. Il aide à régénérer le foie.

b) L'épine vinette: L'écorce de cette plante aide à normaliser la fonction hépatique. Elle agit aussi en tant qu'agent antibactérien et antiparasitaire et antifongique. L'épine vinette dont l'un des agents actifs est l'alcaloïde berberine -aussi présent dans l'hydrastis- est particulièrement active au niveau du côlon.

c) La Formule Q11-A^MD de Quest est excellente pour le soutien nutritionnel du système immunitaire et hépatique.

2. Le soutien nutritionnel

Utiliser des éléments nutritifs qui soutiennent la fonction hépatique et encouragent la désintoxication. Mon expérience clinique et de nombreuses études scientifiques suggèrent l'utilisation de substances nutritionnelles dites lipotrophes ou facteurs lipotropiques.

Les facteurs lipotropiques sont nécessaires pour réduire les quantités anormalement élevées de lipides déposées dans le foie et pour accélérer l'élimination de l'excédent de gras.

L'activité lipotropique de la choline et de l'inositol est vraisemblablement apparentée dans la synthèse des phospholipides qui affecte la structure des membranes cellulaires aussi bien que la fonction des molécules transporteuses de lipides - les lipoprotéines.

Le métabolisme inositolique peut être affecté par un apport de choline. Parce que la méthionine évite d'endommager le foie, on ajoute généralement cette substance nutritionnelle en plus de l'inositol.

Le biochimiste américain Jeffrey Bland a créé une excellente formule de désintoxication et de gestion métabolique. Cependant, le programme *UltraClear* doit-être suivi sous la supervision d'un professionnel de la santé.

La majorité des naturopathes savent depuis longtemps que ce sont les facteurs lipotropiques (dont la choline qu'on retrouve dans la lécithine) qui aident à contrôler le taux de cholestérol.

59. Soutenir le système immunitaire

Certains suppléments aident à renforcer le système immunitaire. Notons entre autres la vitamine C, le zinc, la vitamine A, les extraits glandulaires (surtout du thymus) et l'échinacée. Il a déjà été question des vitamines C et A.

Les extraits glandulaires de rate et de thymus sont utilisés par beaucoup de praticiens dans le but de soutenir le système immunitaire. Ils existent sous différentes formes. Celles-ci sont disponibles en pharmacies, dans les magasins d'aliments naturels et chez la plupart des praticiens de la santé.

60. La phytothérapie et l'immunité

Je retiendrai ici deux plantes dont le rôle est incontesté:

a) L'hydraste du Canada (Hydrastis) est particulièrement active en tant qu'agent tonifiant pour les muqueuses. Ceci est particulièrement important chez ceux qui souffrent d'allergies ou encore de candidose. En effet, chez ceux qui ont la candidose, les muqueuses vaginales et intestinales ont besoin du soutien nutritionnel qu'apportent les différentes substances actives de l'hydraste.

   De plus, cette plante aide à accroître les sécrétions gastriques et améliore la quantité ainsi que la qualité de la bile. Par conséquent, elle aide à la digestion. L'hydraste *tonifie* l'utérus ainsi que la circulation veineuse. L'hydraste est aussi un antiseptique et un antibiotique naturel.

b) L'échinacée (Rudbeckie) est l'un des antibiotiques les plus sûrs de la pharmacopée naturelle. En effet, cette plante n'a pas d'effet secondaire. Elle ne détruit pas la flore intestinale. L'échinacée aide à stimuler et à accélérer l'élimination de toxines. Elle est un agent de purification sanguin exceptionnel. De plus, elle agit comme antiseptique. On l'utilise pour les problèmes lymphatiques, incluant les amygdalites. Elle soutient le système immunitaire contre les infections bactériennes, virales et fongiques (à champignons). L'une de ces substances actives, l'échinacine, aide à neutraliser un enzyme (l'hyarulonidase) que produisent les bactéries pathogènes. Ces dernières détruisent nos barrières cellulaires normales. Elles possèdent une activité anti-inflammatoire. Certains chercheurs croient que l'échinacée augmente substantiellement l'activité des anticorps. Il existe différents produits à base d'échinacée. Cependant, ils n'ont pas tous la même efficacité. La qualité thérapeutique d'une plante dépend de son bagage génétique, de sa méthode de culture, de sa cueillette, de ses méthodes de transformation et de ses formes galéniques (teinture, poudre, tisane). Mon expérience me force à constater que la qualité de la plante est tout aussi importante que sa quantité. Ainsi, il importe d'utiliser un produit de haute qualité. Vogel, Nature's Way, Herbs Etc., Nature's Herbs, Eclectic Institute, Phyto-Med, Wakunaga, Quest (Formules Q), Wellspring et Flora/Salus-Haus offrent d'excellentes formules phytothérapeutiques.

61. Le choix d'un produit

A mon avis, la qualité de production est un gage d'efficacité. L'industrie des produits naturels est en pleine croissance. Ce phénomène est des plus encourageants. En effet, on assiste à une plus grande disponibilité de différents suppléments efficaces. L'accessibilité accrue d'excellentes formules de vitamines et de minéraux, de complexes de plantes et d'aliments concentrés permet de mieux pallier aux différents déséquilibres de notre écosystème.

Le problème est avant tout celui de la production. La majorité des consommateurs de produits naturels ont l'impression que les produits naturels sont fabriqués avec plus de soin que les médicaments pharmaceutiques. Ils pensent que les compagnies de produits naturels prennent plus de soin à contrôler la production de leurs produits. Attention! ce n'est pas toujours le cas.

Malgré les contrôles auxquels sont soumises les compagnies canadiennes de produits naturels - les sociétés européennes sont beaucoup mieux contrôlées, les sociétés américaines le sont moins - Elles ne sont pas soumises aux mêmes critères que l'industrie pharmaceutique. De plus, plusieurs compagnies de produits naturels ne fabriquent pas leurs propres produits.

Je dois vous avouer que malgré ma formation scientifique, j'ai été surpris par certains faits importants. Il n'est pas suffisant de trouver les ingrédients ou les formules acceptables. Non, il faut aller plus loin dans la sélection d'un produit. On doit s'assurer que la compagnie respecte certains critères inviolables. J'illustre ceci par l'exemple de quelques compagnies excellentes.

1) La majorité des compagnies de suppléments ne fabriquent pas leurs produits. Ils n'ont donc aucun contrôle sur les matériaux de base qui servent à leur production. Le contrôle de qualité est souvent laissé à la compagnie manufacturière. Quest, Flora et quelques autres analysent tous les produits dès leur réception.

2) La majorité des compagnies qui produisent des suppléments alimentaires utilisent soit la chaleur ou encore des solvants pour assurer la granulation de poudres -vitamines, minéraux et autres- à être encapsulées ou comprimées. Parce que les poudres sont trop légères et difficiles à manipuler, les compagnies doivent les granuler pour assurer une manutention plus facile. Si on utilise la chaleur, on peut détruire une partie des vitamines hydrosolubles et des enzymes. Si on utilise des solvants -on peut les sentir en ouvrant la bouteille, c'est surtout le cas pour les minéraux- il reste toujours un résidu de solvant sur le produit. Or l'absorption de solvants est reliée à des symptômes neuropsychiques. *Quest* produit des granulations utilisant le système Chilsonator qui n'utilise ni solvant, ni chaleur. En effet, ce système préconise uniquement la pression.

3) Afin de protéger le comprimé contre l'humidité et

pour le rendre plus facile à avaler, celui-ci est recouvert d'un agent protecteur. La majorité des compagnies utilisent une protéine végétale (la zéine) ou d'autres formes d'enrobages. Le séchage de ces produits requiert un solvant. Des produits peuvent avoir des résidus de solvants. Ces résidus peuvent causer des allergies chez des individus sensibles. Des compagnies utilisent un procédé d'enrobage aqueux (à l'eau) à base de cellulose végétale, le Cellcote.

4) Parce que le contenant doit servir de barrière à l'humidité, à l'oxygène et à la lumière, le choix de la bouteille importe. Elle ne doit pas altérer le contenu. Elle doit empêcher la contamination par des substances extérieures. De plus, elle doit être recyclable. A ma connaissance, seul le verre opaque et le poly-propylène satisfont ces critères.

62. Les produits phytothérapeutiques

En plus des critères énoncés ci-haut, les produits à base de plantes requièrent des traitements particuliers:

1) Les plantes ne doivent jamais être irradiées. De plus, elles doivent être, autant que possible, de culture biologique, sauvage ou standardisée. Vogel/Bioforce de Suisse, Eclectic Institute et NF (distribués par Sisu), Nature's Herbs, Flora/Salus-Haus, Herbs Etc., Quest (Formules Q^MD) et Wakunaga satisfont ces critères.

2) La majorité des plantes sont disponibles en teintures (alcool), en capsules (poudre), en vrac ou en sachets (tisanes). Les teintures de plantes devraient être fabriquées avec de l'alcool biologique. Vogel/Bioforce de Suisse, Eclectic Institute, Flora/Salus Haus, Herbs Etc., Phyto-Med et NF le font. Les plantes doivent être

lyophilisées (séchées à froid) afin de conserver leur propriétés actives. Quest (Formules Q^{MD}), Nature's Way, Eclectic Institute, Nature's Herbs, et Salus-Haus satisfont ce critère.

3) Afin de réduire le contact avec l'oxygène et conserver toutes les propriétés des plantes, celles-ci doivent être bien scellées lorsqu'elles sont vendues en vrac ou en sachets. Elles ne doivent pas être emballées dans des sacs transparents. En effet, elles n'ont pas de protection contre la lumière.

4) Dans certains pays européens, les produits dérivés des plantes doivent être analysés pour s'assurer qu'ils sont exempts de contaminants. Aux États-Unis et au Canada, il n'y a pas de réglementation forçant les compagnies à vérifier la concentration de contaminants présents dans leurs produits. Quest vérifie tous les contaminants possibles en utilisant le Plasma (I.C.P.). Ce dernier peut vérifier jusqu'à une concentration de une partie par milliard. Vogel/Bioforce de Suisse, Salus-Haus/Floradix, Phyto-Med et Bio-Strath agissent de même.

Vous comprenez pourquoi je crois bon de mentionner des marques de commerce dans ce livre.

63. Le candida albicans et les allergies

Les personnes atteintes de candidose souffrent généralement d'allergies. On se demande souvent si les allergies engendrent le candida ou si le candida initie les allergies.

Les allergies peuvent être causées par différents facteurs qui affaiblissent le système immunitaire. Une détoxification déficiente prédispose à l'infection de candida albicans. Le candida albicans peut être une source d'allergies multiples.

Lorsque la levure prolifère dans l'intestin, elle peut sous forme unicellulaire se transformer en forme mycélienne. Le candida albicans est un organisme dimorphe. Il peut vivre sous la forme de levure (unicellulaire) ou sous la forme mycélienne. La forme de levure ne cause pas d'ennui grave à l'organisme. Par contre, les problèmes apparaissent lorsque le candida prend la forme mycélienne. Sous cette dernière forme, le candida albicans développe des structures ressemblant à des racines. Celles-ci peuvent pénétrer les muqueuses. Cette pénétration de la muqueuse peut détruire la barrière qui sépare le milieu intestinal du sang. Ceci peut permettre l'intrusion de substances indésirables (antigènes) dans le flux sanguin. Des protéines mal digérées peuvent alors pénétrer dans le sang par ces voies aménagées par le candida albicans sous forme mycélienne. Le résultat: des réactions allergiques de toutes sortes.

Certaines protéines circulant dans le sang peuvent avoir des effets similaires aux endorphines, un groupe de composés affectant la perception de la douleur et certains aspects du comportement. Elles peuvent aussi changer l'humeur et les capacités de mémoire. Cela explique en partie les problèmes d'ordre psychologique résultant des infections de levures.

Les allergies vont de pair avec la candidose et vice versa. Par contre, on ne sait pas laquelle initie l'autre. Il faut donc tenir compte des soins à prodiguer pour des allergies spécifiques. On devrait, par prudence, vérifier la présence de levure candida albicans chez une personne souffrant d'allergies.

64. Le candida albicans et l'hypoglycémie

Plusieurs cliniciens ont constaté un lien entre l'hypoglycémie et la candidose. Par contre, si toutes les personnes qui souffrent d'hypoglycémie n'ont pas nécessairement le candida, tous ceux qui ont le candida souffrent d'hypoglycémie. Cette constation résulte de mon expérience. Le Dr J.C. Breneman a d'ailleurs fait l'observation clinique suivante: 75% des hypoglycémies fonctionnelles sont causées par des allergies.

65. Le candida et l'arthrite rhumatoïde

Dans son livre, «Vaincre l'arthrite», le naturopathe Gilles Parent a écrit que la candidose est un facteur qui peut stimuler l'inflammation chez les personnes qui souffrent d'arthrite rhumatoïde.

66. Le candida albicans et les dents

Plusieurs auteurs ont démontré un lien entre différentes maladies et la présence de méthylmercure dans l'organisme. Cela semble vrai dans le cas de l'hypoglycémie, de la sclérose en plaques et de la candidose. On retrouve du mercure dans la bouche. En effet, les plombages ou amalgames dentaires contiennent du mercure. Ce mercure combiné à la salive peut stimuler la prolifération du candida. De plus, la présence de mercure dans l'organisme peut affaiblir le système immunitaire. Chez les personnes souffrant de candidose, la présence de méthylmercure peut ralentir et même empêcher tout progrès thérapeutique. Le livre du Dr Denis Hervé «La médecine dentaire holistique» aborde ce sujet.

L'ail *Kyolic* (liquide) s'est avéré très efficace pour aider à détoxifier le mercure. Il en va de même pour l'alkylglycérol *Ecomer*.

67. Message aux praticiens de la santé

Jusqu'à récemment, on affirmait le caractère inoffensif du candida albicans. Les infections de fongiques bucales et les vaginites étaient les maladies les plus graves que l'on pouvait attribuer aux levures intestinales. Par contre, on a démontré qu'un développement rapide et soutenu du candida albicans peut aller jusqu'à menacer la vie de certaines personnes.

Résultat d'un environnement moderne souvent contraire à la logique, l'infection provoquée par le candida albicans est de plus en plus fréquente. Pour qu'il demeure inoffensif, on doit respecter trois conditions de base:

1. On doit maintenir l'intégrité des bactéries saprophytes intestinales.

2. Le système immunitaire doit être indemne.

3. Le pH gastro-intestinal doit demeurer dans les limites normales.

Les antibiotiques à spectre élargi détruisent les bactéries saprophytes ainsi que les bactéries pathogènes. On peut ajouter à l'impact de ces antibiotiques ceux avec lesquels on soigne le bétail destiné à la consommation humaine.

Les stéroïdes endommagent le système immunitaire et la pilule contraceptive, un dérivé de stéroïdes, fait de même. La pollution peut affaiblir le système immunitaire. Elle devient même un allergène chez certains. Le stress quotidien augmente les risques. La stimulation des glandes surrénales (médulla surrénale) inonde le corps de stéroïdes biologiques. Parce que nous ne pouvons pas les utiliser pour *fuir ou combattre*, il en résulte un affaiblissement de l'immunité. Une alimentation pauvre en éléments nutritifs modifie finalement le pH gastro-intestinal fournissant ainsi au candida albicans d'amples réserves d'hydrates de carbone pour stimuler sa croissance. Le résultat: une hausse de la candidose.

On peut affirmer que 30% des Nord-Américains peuvent montrer des signes de candidose. Parce que trop peu de praticiens sont préparés à traiter le candida albicans, on pourrait connaître une crise. Les *supposés remèdes miracles* causent souvent plus de mal que de bien. Ils stimulent parfois la maladie.

Les symptômes de la candidose sont nombreux: allergies, migraines, douleurs aux articulations ressemblant aux douleurs arthritiques, dépressions et perte de la libido, symptômes semblables à l'intoxication à l'alcool. Cette infection était jusqu'à récemment extrêmement difficile à diagnostiquer.

Pour ces raisons, plusieurs praticiens ont mis en doute l'existence du candida albicans en tant qu'entité spécifique. Résultat: plusieurs patients ont reçu d'autres traitements que ceux préconisés. En effet, on a trop souvent établi un diagnostic de névrose. On a trop souvent prescrit des tranquillisants dont le patient n'avait pas besoin.

Parce que la candisose est difficile à cataloguer, plusieurs personnes ont vainement cherché à ce qu'on leur vienne en aide. Aujourd'hui, il faut briser cette impasse.

Heureusement, les moyens de résoudre ces difficultés sont à portée de la main. Le candida albicans peut être traité efficacement et en toute sûreté.

Cet ouvrage a pour but d'expliquer ce qu'est la candidose. Ce document se veut un ouvrage de vulgarisation. Il veut renseigner ceux et celles qui veulent en connaître davantage sur cette maladie. C'est une porte ouverte à la consultation d'ouvrages plus spécialisés.

68. Au niveau thérapeutique

Le praticien de la santé qui s'intéresse à traiter la candidose doit avant tout minimiser les réactions désagréables en cours de thérapie. Il doit informer la personne qui entreprend le traitement. Il doit prendre ces différents facteurs en considération:

1. La vitalité du patient

2. Son âge

3. Ses états pathologiques pré-existants

4. Son état psychologique

5. L'état de son système digestif et tenir compte des habitudes alimentaires existantes afin d'élaborer un régime

6. L'état des ses émonctoires, en particulier le foie

7. Le niveau d'intoxication due aux champignons justifie l'adoption d'un traitement plus ou moins sévère voire drastique

Ces différents facteurs peuvent varier d'une personne à l'autre. Il en va aussi du traitement. Voilà pourquoi seul un praticien de la santé peut traiter de façon convenable le syndrome de la levure.

69. Les radicaux libres

Les radicaux libres résultent du métabolisme cellulaire normal. Ces molécules très réactives cherchent l'équilibre, ce qui les rend particulièrement imprévisibles. Ils peuvent se joindre à d'autres molécules pour en changer la structure et ainsi créer des *mutations* qui causent des réactions anormales dans l'organisme. Ils sont le résultat des polluants chimiques et environnementaux tels que l'eau, la fumée et les radiations. Selon le Dr Stephen Levine, ces radicaux sont comparables à la friction qui résulte des opérations de la vie. Pour le Dr Levine, c'est l'une des causes premières du vieillissement, du cancer et de toute dégénérescence cellulaire.

Toujours selon le Dr Levine, les infections chroniques causées par la levure incitent les phagocytes à produire un excès d'oxydants (des radicaux libres), dont le superoxyde. Chez l'individu infecté par le candida albicans, il y a une plus grande formation de radicaux libres. C'est une cause possible d'un grand nombre des symptômes attribués à la candidose. Cette *friction* des radicaux libres est atténuée par les antioxydants. On peut comparer les antioxydants à l'huile qui réduit les frictions dans les engrenages.

Ces antioxydants donnent un électron à l'atome. Ainsi, il l'équilibre et le rend inoffensif. Parmi les antioxydants, notons: la vitamine C, la vitamine E, le sélénium, le glutathione et le superoxyde dismutase (le SOD est aussi un enzyme). L'extrait d'ail *Kyolic* s'est démontré extrêmement efficace pour protéger contre les radicaux libres et les radiations. La formule de pollen *Longue-Vie* de FloraMax contient du SOD.

70. Les facteurs naturels de santé

Quel que soit son état, on peut recouvrer la santé. Notre corps et notre esprit ont toutefois besoin d'éléments nutritifs afin de fonctionner de façon optimale. Voici certains rudiments:

Notre alimentation de base doit inclure des graines, des noix et des céréales complètes. Le blé, le millet, le bulghur, le seigle, l'avoine et le sarrasin doivent être complets et non raffinés. Les graines provenant du lin, du sésame, du tournesol et de la citrouille doivent être crues. Des noix non salées et non rôties telles que les amandes, les avelines, les noix de Grenoble doivent être du menu. Les légumes doivent être consommés frais. Ils ne doivent pas être en conserve ou surgelés. On ne doit pas trop les faire cuire. On doit les cuire à la vapeur, au bain-marie ou dans un chaudron de type *Vapor-Control*. Il ne faut pas les cuire dans un autocuiseur.

Les fruits sont une source importante de glucides. Si l'on est affecté par le candida albicans, il serait sage d'éviter, suivant les recommandations du praticien de la santé, les fruits pour un certain temps. Mais de toute manière, il faut les consommer frais et éviter les fruits en conserve ou surgelés. On peut les manger ou en faire des jus. Les fruits doivent être le plus souvent consommés crus et être, si possible, exempts de pesticides, d'herbicides, d'engrais ou d'agents de conservation chimique.

Parce qu'elles gardent ainsi toute leur valeur nutritive, les huiles doivent être pressées à froid. Si vous voulez absolument sucrer un plat, utilisez du miel ou du jus de fruits. Éviter le sucre blanc ou encore la cassonade.

On doit manger uniquement lorsqu'on a faim. Il faut bien mastiquer ses aliments. Il faut bien les ensaliver. Il faut éviter de trop manger.

Il faut éviter l'alcool, les excès d'épices, le poivre et encore le vinaigre. Il faut bannir les farines raffinées, le pain et les pâtisseries de farine blanchie. Il faut éviter les aliments en conserve et les surgelés. On doit éviter les produits qui contiennent des colorants, des saveurs ou encore des agents de conservation artificiels. Les drogues légales ou illégales telles que le café, le thé, le tabac, les narcotiques et les somnifères sont à proscrire.

71. L'exercice physique

L'activité physique peut améliorer la circulation sanguine

et lymphatique. Elle peut aussi améliorer l'immunité. Elle assure une qualité adéquate de calcium pour les os. De plus, elle aide à se détendre et à mieux dormir.

On peut pratiquer différentes formes d'exercices. Celles-ci doivent être adaptées aux besoins, aux capacités et aux goûts de chacun. L'aérobie reçoit beaucoup de publicité. Par contre, cette promotion oublie souvent l'exercice anaérobic. En effet, il est tout aussi important de travailler les muscles que le système cardio-vasculaire. Je suggère -à ceux qui le peuvent- de faire de l'exercice avec des poids. Il n'est pas nécessaire de vouloir acquérir le titre de Monsieur Muscle ou encore de Miss Univers pour s'engager sur cette voie. Il suffit, pour commencer, d'acheter de petits haltères et de faire les exercices recommandés.

On doit s'assurer d'un minimum de trente minutes de marche, de bicyclette ou encore de natation par jour. Par contre, comme pour tout programme d'exercice, on doit rester conscient de ses capacités et augmenter progressivement. Je recommande de consulter un praticien de la santé avant d'entreprendre un programme d'exercice spécifique.

Quel que soit le programme d'exercice retenu, l'important est de bouger et de faire circuler le sang.

La marche à pied demeure toujours le meilleur exercice de base. De plus, il ne requiert aucun équipement. On peut le pratiquer partout. L'important, c'est de marcher de façon continue. Une promenade de quinze ou vingt minutes par jour plusieurs fois par semaine fait souvent davantage que trois heures d'exercices violents une fois la semaine.

Pour réussir, on doit établir un horaire et le tenir. Quel que soit le type d'exercice retenu, on doit faire le vide.

72. Psyché et soma

L'être humain n'est pas qu'un corps. Il n'est pas qu'un

esprit. Au contraire, il est composé de deux éléments indissociables: le soma et le psyché.

Dans toute démarche visant à établir ou à rétablir la santé, on doit considérer l'aspect psychique. En effet, le psychique est aussi conducteur de santé que de maladie.

Tenant compte de cette réalité, il faut donc approcher la candidose de façon positive. Le champignon nous alerte. Il indique un déséquilibre de l'organisme. Il nous prévient de rétablir cet équilibre.

Si la maladie n'est jamais plaisante, elle peut par contre devenir un signe positif démontrant que l'organisme combat ce qui le menace. Un symptôme n'est souvent que le résultat d'un processus d'autoguérison. La maladie signifie que l'organisme peut se défendre. C'est un espoir de guérison.

On doit entreprendre positivement les démarches visant à rétablir l'homéostasie de l'organisme. Les haines, les rancunes, les sentiments négatifs sont à proscrire. En effet, ils privent l'être humain de l'énergie vitale nécessaire à sa guérison. Il faut cultiver l'amour et le pardon.

73. La spiritualité

La plupart des êtres humains recherche la manière de combler un vide intérieur. L'être humain cherche parfois à combler ce vide par des biens matériels, le plaisir des sens ou encore par sa carrière. Mais, à mon avis, ce n'est que lorsqu'il comble son vide de manière spirituelle qu'il trouve véritablement la paix. Augustin d'Hippone avait bien saisi cela lorsqu'il a écrit dans ses Confessions: «Seigneur, Tu nous a créé pour Toi et notre coeur ne trouvera du repos que lorsqu'il se reposera en Toi.»

74. Les facteurs environnementaux

Il est difficile, voire souvent impossible, de contrôler les facteurs environnementaux. Si nous vivons dans une ville polluée, nous sommes confrontés à un niveau certain de pollution ambiante. Néanmoins, si certains facteurs sont incontrôlables, d'autres sont entièrement dépendant de nous.

A la maison, on peut utiliser des nettoyants biodégradables. On peut utiliser des détersifs pour la lessive qui ne contiennent pas de parfum et de phosphates. On peut minimiser ainsi les infections cutanés. Il faudrait utiliser des savons et des shampooings naturels. D'ailleurs, les alternatives sont de plus en plus faciles à trouver.

75. Le repos

L'organisme humain se répare pendant ses périodes de repos. Il est donc important de bien se reposer. Il faut profiter d'un minimum de sept heures de sommeil par nuit.

Parce qu'on passe près d'un tiers de notre vie au lit, il est important d'investir dans un matelas et un sommier de qualité. Lorsqu'on est fatigué, la seule solution saine est de se reposer convenablement. Lorsqu'on est souffrant ou malade, le repos est le premier remède à envisager.

76. L'oxygénation

Une personne en santé peut probablement vivre plusieurs semaines sans manger (Hé oui!) et quelques jours sans s'hydrater. Mais nul ne peut vivre sans respirer!

L'air que nous respirons (malgré sa qualité parfois douteuse) est un élément nutritif de première importance. On doit bien respirer. En effet, la respiration est devenue une activité automatique pour trop de gens. Il faut se concentrer à bien respirer. Il faut prendre de grandes inspirations tous les jours. On doit le faire idéalement devant une fenêtre ouverte. On doit remplir ses bronches. Une randonnée à la campagne est un excellent moyen de refaire ses réserves. L'exercice physique augmente l'apport d'oxygène.

77. L'eau

La qualité de l'eau que nous buvons est primordiale. Notre corps est composé d'environ 70% d'eau et on doit refaire ses réserves régulièrement. Avec l'âge, le pourcentage d'eau corporelle diminue jusqu'à 60%. Ce pourcentage peut être moins élevé. Chez certaines personnes, l'eau serait un facteur important pour modérer l'effet du vieillissement. Il faut donc, autant que possible, consommer de l'eau pure.

Il faut boire de l'eau de source peu minéralisée (moins de 200 ppm) ou de l'eau filtrée par osmose inversée. Certains préfèrent l'eau de distillation. Par contre, cette notion reste encore très controversée. Il faut boire au moins trois verres d'eau pure par jour avant le petit déjeuner, avant le déjeuner et avant le dîner.

78. L'ensoleillement

Malgré la mauvaise publicité qu'il reçoit désormais, le soleil reste un critère de santé. En effet, un bon ensoleillement aide à augmenter la capacité immunitaire et à normaliser l'activité glandulaire.

De plus, il est nécessaire à la formation de la vitamine D. Le soleil reste donc important pour assurer le métabolisme du calcium. Par contre, il faut en prendre intelligemment.

Il faut faire des activités extérieures hiver comme été. Une marche matinale aide à assurer un certain ensoleillement. Si l'idéal est de ne pas utiliser de crème solaire, il existe d'excellents filtres solaires naturels pour ceux qui ont la peau fragile ou à risque.

79. Que faire maintenant?

Cet ouvrage est avant tout un outil d'éducation sur l'une des maladies du siècle. Il ne peut servir pour diagnostiquer ou soigner. Il traite du problème en général. Les cas particuliers doivent être évalués par des gens compétents.

Si vous croyez que vos problèmes de santé sont liés à l'infection par la levure candida albicans, il faut:

1) Consulter un praticien de la santé pour qu'il évalue votre condition.

2) Cesser immédiatement les habitudes alimentaires qui affaiblissent votre système immunitaire et déséquilibrent votre organisme. Entre autres, il faut cesser de consommer du sucre raffiné, de la farine blanchie ou encore des intoxicants tels que les drogues sans ordonnance et la caféine.

3) Il ne faut pas s'apeurer inutilement. Quoi qu'en disent certains, le candida albicans n'est pas précurseur du SIDA. C'est avant tout un malaise causé par des carences alimentaires, une prédisposition génétique congénitale ou acquise et une intoxication générale. Si vous souffrez du syndrome de la levure, sachez que vous pouvez en guérir. Le traitement peut être long et parfois difficile mais la santé vous attend.

4) Même si la terminologie utilisée dans cet ouvrage (ou dans d'autres livres) laisse sous-entendre que la levure est un parasite monstrueux, sachez qu'elle n'est qu'un micro-organisme inoffensif lorsque l'organisme est sain.

5) Assumez la responsabilité de votre maladie et celle de votre guérison.

Conclusion

Le premier objectif de ce livre est de vous informer au sujet de la candidose et non pas de populariser une *nouvelle maladie*. Nous voulons plutôt sensibiliser le lecteur et la lectrice des gestes que nous posons et qui sont à la source de notre santé ou de notre maladie. Notre alimentation, notre état d'esprit, notre état d'âme, notre environnement social et physique contribuent tous à notre état de santé. En ce qui touche la santé, il n'y a qu'une exigence: assumer ses responsabilités. Personne ne peut le faire pour nous. Les professionnels de la santé sont là pour guider et non pour agir à notre place. L'approche doit être complète et globale.

Comme le disait Paracelse au XVIe siècle: «La Nature est un grand médecin et, ce médecin, l'homme le possède en lui».

Le candida est un exemple flagrant de ce qui survient lorsque l'être humain ne respecte pas les lois immuables de la nature. Tout comme l'hypoglycémie ou le SIDA, le candida est le signe pénible d'une société qui doit changer son attitude vis-à-vis la nature. Sinon, il en subit les conséquences. Mais il n'est pas trop tard pour commencer. C'est quand même rassurant.

Et si mon praticien ne me croit pas?

Il est possible que votre praticien de la santé ne connaisse pas le candida albicans ou encore qu'il n'y croie pas. Dans ce cas, considérez ceci:

1) Apportez-lui ce livre pour qu'il puisse prendre connaissance du problème.

2) Jusqu'à ce que vous ayez rencontré un praticien qui est prêt à vous entendre et à vous traiter, vous pouvez:

    a) Inclure des acides gras essentiels à votre régime.

L'huile de lin pressée à froid et le *Gamma-Oil* sont parfaits.

b) Prendre les éléments nutritifs suivants. La plupart des produits suivants sont disponibles dans un magasin d'aliments naturels.

- Un composé de bactéries lactiques L. Acidophilus, Bifidobacterium Bifidum et S. Faecium.

- Une préparation d'ail en capsules.

- Des multi-vitamines/minéraux de qualité tels que les produits de Quest, Jamieson, Natural Factors ou Wellspring.

c) Vous pouvez demander conseil à certains magasins de produits naturels.

d) Demeurez positif. C'est important. Souriez à la vie!

e) Continuez vos recherches pour trouver un praticien compétent. La candidose est un problème de déséquilibre dans l'éco-système. Ce n'est pas une maladie comme telle. Le but d'un praticien naturopathique compétent est d'éduquer sur les moyens à prendre pour remettre un organisme en état d'auto-guérison

f) Informez votre entourage pour qu'ils n'aient pas à subir pareil inconvénient.

Lexique

Allergène: Se dit de toute substance susceptible d'entraîner une réaction allergique.

Allopathie: La médecine conventionnelle. Elle utilise la chimiothérapie et la chirurgie.

Carence: Une insuffisance ou une absence d'une ou de plusieurs substances métaboliquement indispensables, dont les protéines, les lipides, les glucides, les vitamines et les minéraux.

Corticostéroïde: Toute hormone sécrétée par le cortex surrénal, ainsi que des substances qui en dérivent et leurs succédanés synthétiques.

Dysbiose: Un déséquilibre dans la flore micro-organique normalement présente dans l'intestin.

Enzyme: Molécule protéique permettant l'augmentation de la vitesse des réactions biochimiques et ce, sans modifier l'équilibre final.

Glucocorticoïdes: Se dit de tout corticostéroïde dont l'action se rapproche de celle du cortisol, une hormone stéroïdienne qui est transformée en cortisone par le corps. Ce sont de puissants médicaments anti-inflammatoires. Aussi utilisés comme anti-allergiques.

Homéopathe: La personne qui pratique l'homéopathie.

Homéopathie: Une méthode thérapeutique basée sur l'administration à doses très faibles de substances capables de provoquer, chez l'être humain en santé, des manifestations semblables aux symptômes présentés par le malade. Beaucoup de naturopathes, d'acupuncteurs, de chiropraticiens et plusieurs médecins allopathes pratiquent l'homéopathie. Il n'a pas été fait mention de l'approche homéopathique dans cet ouvrage tout simplement parce que l'auteur n'a pas assez d'expérience clinique dans le domaine pour offrir de judicieux conseils.

Homéostasie: La tendance de l'organisme à maintenir l'équilibre de ses différentes constantes à des valeurs ne s'écartant pas de la norme. Ex.: même par temps froid, le corps assure le maintien de sa température.

Hypoglycémie: Un défaut de fonctionnement dans le système de la régulation des sucres (glycorégulation qui entraîne l'abaissement du taux de sucre sanguin sous la valeur limite). Les symptômes de l'hypoglycémie et de l'hypothyroïdie ressemblent beaucoup à ceux du candida. Ceci s'explique tout simplement par le fait que tout déséquilibre important d'un organe ou d'une glande peut affecter tout l'organisme. L'effet n'est jamais localisé en un seul endroit. A cause de cette similitude de symptômes, il est nécessaire de consulter votre médecin afin de vous assurer que vous ne souffrez ni d'hypoglycémie, ni d'hypothyroïdie.

Hypothyroïdisme: Une insuffisance de la fonction thyroïdienne, (la glande thyroïde).

Lipase: Enzyme qui hydrolyse les lipides (gras) en libérant ainsi des acides gras.

Macrophage: Une cellule dérivant des monocytes sanguins qui joue un rôle important dans l'immunité. Ils participent pleinement à la synthèse des anticorps.

Médecine holistique: Médecine qui considère la santé comme un état de bien-être du corps, de l'âme et de l'esprit. C'est l'individu global qui est pris en considération et traité. Il existe une association de médecine holistique au Québec.

Muqueuse: Une membrane tapissant la paroi interne des cavités naturelles et de la plupart des organes creux.

Mycélium: Filament ramific coenocytique ou septé né d'une spore et croissant par allongement de ses extrémités.

Naturopathie: De l'anglais *nature* et *path* - la voie de la nature. Le naturopathe, celui qui pratique la naturopathie, utilise les voies naturelles dans sa thérapie. Il éduque le malade tout comme le bien portant afin que ceux-ci respectent les facteurs naturels qui mènent à la santé. Au Québec, il existe une association naturopathique professionnelle, le Collège des Naturopathes du Québec ainsi que quelques écoles naturopathiques où l'on peut étudier cette science.

Nutritionniste: Spécialiste des sciences de la nutrition: la science consacrée à l'étude des aliments et de leur valeur nutritionnelle, des réactions du corps à l'ingestion de nourriture ainsi que des variations de l'alimentation chez le sujet sain et malade. On doit différencier le nutritionniste du diététiste.

Oestrogène: Stéroïdes hormonaux synthétisés chez la femme dans les follicules ovariens et dans le placenta durant la grossesse, chez l'homme dans les testicules. Leur sécrétion est cyclique chez la femme. Leur action s'exerce sur les voies génitales et sur les caractères sexuels secondaires féminins à la puberté. On peut aussi produire des oestrogènes de synthèse en laboratoire.

Organique: Issu directement d'un organisme vivant. Des aliments organiques ou biologiques sont produits sans l'utilisation d'éléments artificiels, tels que des pesticides, des herbicides, des fongicides ou encore de l'engrais chimique.

Pathogène: Du mot grec *pathos* - souffrance- et *gennân* - provoquer ou causer. Un élément pathogène est donc un élément qui cause la souffrance.

Phagocytose: L'action ou la fonction qu'ont certains organismes vivants d'absorber et de digérer des particules ou microbes, les éliminant ainsi de leur milieu.

Phytothérapie: L'art et la science de traiter les maladies avec des plantes.

Prednisone: Un dérivé de la cortisone.

Progestérone: Une hormone synthétisée par le corps humain au cours de la grossesse, ainsi que plus faiblement par les corticosurrénales et les testicules. On fabrique de la progestérone synthétique à des fins médicales.

Protéase: Un enzyme protéolytique. Un enzyme qui assure la destruction ou la réduction des protéines en leurs éléments constitutifs, les acides aminés.

Raffiné: Un produit raffiné est un produit duquel on enlève des éléments s'y retrouvant à l'état naturel. On le modifie. On le dénature.

Toxine: Un élément dont l'organisme n'a pas besoin et qu'il ne peut utiliser. Par conséquent, il doit l'éliminer. Les toxines empêchent l'activité des enzymes. Elles dérangent le bon fonctionnement et la reproduction des cellules et fatiguent les organes d'élimination.

Bibliographie, références et sources d'information

1. The Yeast Syndrome, John Parks Trowbridge, Morton Walker, (New York, N.Y. & Toronto Ont., 1986), Bantam Books.

2. Candida A Twentieth Century Disease, Shirley Lorenzani, (New Canaan, Conn., 1986), Keats Publishing

3. The Missing Diagnosis, C. Orian Truss, (Birmingham, Al., 1982).

4. Candida Albicans: Could Yeast Be Your Problem?, Leon Chaitow, (Wellingborough, Eng. et New York, N.Y., 1985), Thorsons Publ. Group.

5. Candida Albicans: How To Fight An Exploding Epidemic Of Yeast-Related Diseases, Ray C. Wunderlich Junior & Dwight K. Kalita, (New Canaan Conn., 1984), Keats Publishing Inc.

6. Dr Crook Discusses... Yeasts... And How They Can Make You Sick, William Crook, (Jackson, Tn.,1986), Professional Books.

7. The Yeast Connection, William Crook, (Jackson, Tn.,1986), Professional Books.

8. L'Homme dans son milieu, En Coll. (Montréal, Qué.,1982), Guérin Éditeur Ltée.

9. Yeast: Facts & Fallacies, dans Alive-Focus on Nutrition (Vancouver, B.C., no3), Canadian Health Reform Products Ltd.

10. Dr. Berger's Immune Power Diet, Stuart M. Berger

(Scarborough, Ont., 1986), Signet Books.

11. Antioxydant Adaptation: Its Role In Free Radical Pathology, Stephen A. Levine & Parris M. Kidd, (Vancouver, B.C.. 1986), Sisu Ent.

12. Médecine de demain, Jean Rocan (Tingwick, Qué., 1986), Éditions Jean Rocan.

13. Bergey's Manual Of Determinative Bacteriology, R.E. Buchanan &c N.E. Gibbons (Baltimore Md.), The Williams & Wilkins Company.

14. Nutraerobics, Jeffrey Bland, (San Francisco, Ca., 1985, Harper & Row Publishers.

15. How To Live Longer And Feel Better, Linus Pauling (New York, N.Y., 1986), W.H. Freeman & Company

16. Lick The Sugar Habit, Nancy Appleton, (Garden City Park, N.Y.:1988) Avery Publishing Group

17. Les vitamines, Michael Colgan, Ph.D. (Québec, 1986), Éditions Libre Expression.

18. The Nutrition Desk Reference, R.H. Garrison, R.Ph. & E. Somer, M.A. (New Canaan, Conn., 1985), Keats Publishing.

19. 1984-85 Yearbook Of Nutritional Medicine, Jeffrey Bland, et coll. (New Canaan, Conn., 1985), Keats

20. Soyez bien dans votre assiette jusqu'à 80 Ans, C. Kousmine (France, 1980), Tchou.

21. Les vitamines, J. Leboulanger (Neuilly-sur-Seine Croix, 1984), F. Hoffmann-La Roche & Cie.

22. Dans la revue Mycologia, Gary Moor, S Atkins, vol.69, 1977.

23. Advanced Treatsie In Herbology, Dr Edward Shook (Beaumont, Ca., 1978), Trinity Center Press.

24. Inhibitory Action Of Garlic On Growth And Respiration Of Micro-Organisms, Tyarcke et Gos cités dans Candida Albicans: Could Yeast Be Your Problem? réf. no. 4

25. The Merck Index, 9e Édition.

26. The Rodale Herb Book, Les Éditeurs de Prévention (Emmaus, Pa., 1974) Rodale Press Inc.

27. Physician's Desk Reference (Oradell, N.J., 1981) Medical Economics Co.

28. Les vertus de l'ail, Jean-Marc Brunet, dans la chronique «Vivez en santé, vivez heureux», Journal de Montréal, 9 mars 1985.

29. Bionostics, Inc., Lisle/Ill. et conversations entre l'auteur et le Dr Khem Shahani, professeur à l'université de Lincoln au Nébraska et spécialiste dans les bactéries bactéries lactiques

30. Lactobacillus Acidophilus As A Therapeutic Agent, R.H. Ellis, extraits de sa thèse de doctorat présentée à l'Université du Wisconsin, 1957.

31. The Complete Book Of Vitamins, Prévention Magazine (Emmaus, Pa., 1984), Rodale Press.

32. How To Get Well, P. Airola, (Phoenix, Ariz.,1986).

33. Vitamin C In The Treatment Of Acquired Immune Defficiency Syndrome (AIDS), Robert Cathcart, Medical Hypothesis (1984) 14:423-433.

34. Vitamin C, The Common Cold And The Flu, Linus

Pauling (San Francisco, Ca., 1976), W.H. Freeman & Company.

35. Comparative Studies Of «Ester C» Versus L-Ascorbic Acid, Jonathan V. Wright, International Journal of Clinical Nutrition, Janvier 1990

36. The New Super Nutrition, Richard Passwater (New York N.Y., 1991), Pocket Books.

37. Conversation entre l'auteur et le Dr Stephen Levine.

38. Hair Tissue Mineral Analysis, Jeffrey Bland, (New York, N.Y.,1984), Thorsons Publishers Inc.

39. Essential Fatty Acids And Immune Response, Daniel Hwang, The FASEB Journal, Juillet 1989

40. Candida: l'autre maladie du siècle, Daniel Crisafi (Montréal:1987) ÉdiForma (épuisé)

41. Natura Medicina And Naturopathic Dispensatory, A.W. Kuts-Cheraux (Yellow Springs, Ohio, 1953), Antioch Press.

42. Dictionnaire de médecine, Flammarion, (Paris, 1975).

43. The Miracle Of Fasting, Paul C. Bragg, (Santa Barbara, Ca.,1985) Health Science.

44. Les clefs de la nutrition, Desire Merien (St-Jean de-Braye, France, 1982),Éd. Dangles.

45. Candida albicans: Les implications énergétiques et psychologiques, Dominique Vincent, allocution lors d'un symposium en 1987 sur le candida albicans au Salon de la femme de Montréal.

46. Natural Antibiotic Activity Of Lactobacillus Acido-

philus And Bulgaricus... Cultures, Shahani, K.M.; J. R. Vakil, Dairy Prod. Journal, Vol. 12(2):pp. 8-11, 1977.

47. Une conversation téléphonique entre l'auteur et le Dr Khem Shahani.

48. L'Art médical, Paul Carton, (Paris, 1965), Librairie le François.

49. Role Of Sugars In Human Neutrophilic Phagocytosis, A. Sanchez et al., dans American Journal of Clinical Nutrition, 26:180, 1973

50. Colon Therapy, Drew Collins, dans A Textbook Of Natural Medicine, (Seattle, Wa.:1985)

51. Intestinal Permeability And Inflammation In Rheumatoid Arthritis, The Lancet, 24 novembre 1984

52. Une conversation personnelle avec le Dr Christopher Deatherage de Chamois au Missoury et René Sénéchal, hygiéniste du côlon.

53. Nutrition And Candida Albicans, Leo Galland, M.D., dans 1986 A Year In Nutritional Medicine, (New Canaan, Conn., 1986), Keats Publishing.

54. Management Of The Premenstrual Tension Syndromes: Rationale For A Nutritional Approach, Guy E Abraham, 1986 A Year In Nutritional Medicine, (New Canaan, Conn., 1986), Keats Publishing.

55. Sugar Chromotography Studes In Recurrent Candida Vulvovaginitis, Horowitz, B.J., Edelstein, S.W. et L. Lippman, J. Reprod. Medicine, 29:441-443, 1984

56. Dietary n-3 Polyunsaturated Fatty Acids And Amelioration Of Cardiovasvcular disease: possible Mechanisms,

J. Kinsella, B. Lokesh, R, Stone, American Journal of Clinical Nutrition, 1990:52:1-28

57. Differential Killing Of Human Carcinoma Cells Supplemented With n-3 And n-6 Polyunsaturated Fatty Acids, M. Bégin, G. Ells, U. Das, D. Horrobin, Journal of The National Cancer Institute, Novembre 1986

58. Sauvez votre corps, Catherine Kousmine, M.D., (Paris: 1987) Édit. Robert Laffont

59. An Apparent Growth Factor For Candida Albicans Released From Tetracycline Treatred Bacterial Flora, Journal Hyg., 58:95-97, 1960

60. Équilibre psycho biologique et oligo aliments, Carl Pfeiffer, (Paris:1988) Éditions Équilibres

61. Cité dans The Third Opinion, Juin 1990

62. Lettre de J.S. Walker du United States Department of Agriculture, Agricultural Research Service (7 septembre 1982)

63. Evaluation Report Of The Inhibitory Properties Of CITRICIDALTM, Brigham Young University, Provo, UT, 20 septembre 1990

64. Candidiasis, Joseph E. Pizzorno, Encyclopedia Of Natural Medicine (Rocklin, Ca:1990) Prima Publishing

65. Milk Thistle: Silybum Marianum, Steven Foster, Botanical Series No. 305, American Botanical Council, 1991

66. Next Generation Herbal Medicine, Daniel Mowrey, (1988) Cormorant Books

67. Nutritional Influerce On Illness, Werbach, M. (1987)

Thorsons Publishing Group

68. Scientific Validation Of Herbal Medicine, Daniel Mowray (1986) Cormorant Books

69. Study Of Some Pharmacologic Actions Of Berberine, M. Sabir et N. Bhide, Ind. J. Phys. Pharm, 1971, 15

70. Antibacterial Activity Of Pancreatic Fluid, E. Rubinstein, Z. Mark et Z. Haspel, Gastroenterol. 1985, 88

71. Enzyme Treatment Of Immune Complex Diseases, K. Ransberger, dans Arthritis Rheuma., 1986, No.8

72. Vademecum Avoba, Dr A. Vogel, A. Vogel Suisse Ltée

73. Melaleuca Alternifolia Oil:It's Use For Trichomonal Vaginitis And Other Vaginal Infections, Eduardo F. Pena, Obstetrics and Gynecology, Vol. 19, No. 6

74. Cajeput-Type Oil For The Treatment Of Furonculosis, Henry Feinblatt, Journal of The National Medical Association, Vol. 52, No. 1

75. Handbook Of Vitamins, Minerals And Hormones, Roman Kutsky, (Toronto:1981) Van Nostrand Reinhold

76. Orthomolecular Medicine For Physicians, Abram Hoffer, MD, PhD, (New Canaan, Conn.:1989) Keats

77. Trace Elements, Hair Analysis And Nutrition, R. Passwater et E. Cranton (New Canaan, Conn.:1983) Keats

78. Vaincre l'arthrite, Gilles Parent (1987) Libre Expression

79. The Way Of Herbs, Michael Tierra (New York:1990) Pocket Books

80. School Of Natural Healing, John R. Chistopher (Provo, Utah:1976) Christopher Publications Inc.

81. Elementary Treatise In Herbology, Edward Shook, (Beaumont, Ca.:1974) Trinity Press

82. The Herbal Handbook, David Hoffman, (Rochester, Vt:1988) Healing Arts Press

83. The Herbal Pharmacy, John Heinerman, (Vancouver, BC:1989) Odyssey Publishing

84. Herbal Desk Reference H.D.R., F. Joseph Montagna (Dubuque, Ia:1990) Kendall/Hunt Publishing

85. Better Health Through Natural Healing, Ross Trattler, (New York:1988) McGraw-Hill

86. Investigation Of The Presence Of Substances Having Antibiotic Action In Higher Plants, M.L. D'Amico, Fitoterapia 21, 1978

87. Immunologically Active Polysaccharides From Tissue Cultures Of Echinacea Purpurea, Wagner, Stuppner, Puhlmann, Jurcic, Zenk, Proc, 34 Annual Congress on Medicinal Plant Research, Sept., 1986

88. Macrophage Activation And Induction Of Macrophage Cytotoxicity By Purified Polysaccharide Fractions From The Plant Echinacea Purpurea, Stimpel, Proksch, Wagner, Lohmann-Matthes, Inf. Immun 46, 1984

89. Immunological In Vivo Examinations Of Echinacea Extracts, Bauer, Jurcic, Puhlmann, Wagner, Arzneim-Forsch, 38, 1988

90. Polysaccharides Derived From Echinacea Plants As Immunostimulants,Wagner,Zenk and Ott,Patent-GerOffen-3,1988

91. Herbs And The Immune System, Michael Weiner, The Herbal Healthline, Novembre 1989

92. Secrets Of Fijian Medicine, M.A. Weiner, (SanRafael, Ca.:1983) Quantum Books

93. Maxiumum Immunity, Michael Weiner, (Boston, Ma.:1986) Houghton-Mifflin

94. The Antitumor And Toxic Properties Of Substances Extracted From The Wood Of Tabebuia Avellanedae, De Santana, De Lima, Lacerda, Rev. Inst. Antibiont Univ. Fed. Pernambuco Recife 8, 1968

95. A Lapachol Derivative Active Against Mouse Lymphocytic Leukemia, De Oliviera, Linardi, Da Consolacao, J. Med. Chem. 18, 1975

96. Garlic In Nutrition & Medicine: A Practitioner's Point Of View, Robert I-San Lin, (Lane Cove, NSW, Australie:1989) International Health Promotions.

97. Evaluation Of The Antifungal Activity Of Lemon Grass Oil, Grace Onawunmi, Int. J. Crude Drug Research, 27, 1989

98. Wound Healing:Oral & Topical Activity Of Aloe Vera, R.H. Davis et al. Journal of the American Pediatric Assoc., 79(11), Nov. 1989

99. An Anti-Complementary Polysaccharide With Immunological Adjuvant Activity From The Leaf Parenchyma Gel Of Aloe Vera, L.A. Hart, J.J. van den Merg, L. Kuis, Planta Medica, 55, 1989

100. The McDougall Plan, John McDougall, (N.J.:1983) New Century Publishers

101. Dietary Vitamin A And The Risk Of Invasive Cervical Cancer, LaVecchia et al., Int. J. Cancer, 34, 1984

102. Serum Beta-Carotene, Vitamins A And E, Selenium And The Risk Of Lung Cancer, M.S. Menkes et al., New England Journal of Medicine, 315, 1986

103. Dietary Vitamin A And Risk Of Cancer In The Western Electric Study, R.B. Shekelle et al., Lancet, Nov. 28 1982

104. J. National Cancer Institute, H.B. Stahelin, 73, 1984

105. L'être humain est végétarien et les protéines animales le rendent malade. Une étude de l'Agence France-Presse, (La Presse), Jeudi, le 10 mai 1990

106. Alkylglycerols-Mother's Milk For Adults ?, Ingemar Joelsson, Health World, Sept./Oct. 1989

107. Glucosamine Synthetase Activity In Colonic Mucose In Ulceritive Colitis And Crohn's Disease, M.J. Goodman, P.W. Kent, S.C. Truelove, GUT, (16) 1975

108. Strengthening Tissue Structure- With Amino Sugars, A.F. Burton, The Vitamin Supplement Journal

109. Les combinaisons alimentaires, Lucille Martin-Bordeleau, (Montréal:1986) ÉdiForma

110. Précis de biochimie de Harper 7e Édition, D.K. Garanner, P.A. Mayes, R.K. Murray, V.W. Rodwell, (Québec:1989) Presses de L''Université Laval

111. Basics Of Food Allergy, J.C. Breneman (Springfield, Ill.:1978) Charles C. Thomas

112. Handbook Of Enzyme Biotechnology, Alan Wiseman,

(New York:1975) John Wiley & Sons, Inc.

113. Indigestion: Why HCL, Antacids And Pancreatin Are Not The Answer, Howard Loomis, The American Chiropractor, April 1988

114. Absorption Of Oral Enzymes, Peter Rothschild, State Academy of Medicine, Mexico

115. Enzyme Therapy-In Immune Complex And Free Radical Contingent Diseases, Peter Rothschild, (Honolulu:1988) University Labs Press

116. La médecine dentaire holistique, Denis Hervé, (Montréal:1991) Louise Courteau Éditrice

117. Earl Mindell's HERB BIBLE, Earl Mindell, (New York:1992) Simon & Schuster Publishers

118. Inhibition Of Cyclooxygenase-Independant Platelet Aggregation By Low Vitamin E Concentration, F. Violi, D. Practico, A. Ghiselli, et al., Atherosclerosis 82 (1990)

119. Vitamins, Megavitamin Therapy And The Nervous System, M. Lipton, R. Mailman, C. Nemeroff, Nutrition and The Brain Vol. 3 (New York:1979) Raven Press

120. Migrane Headache, M. Atkinson, Ann. Int. Med. No. 21, 1944

121. Treatment Of Migrane With Nicotinic Acid, Grenfill, R.F., Am. Pract. No. 3, 1949

122. The Use Of Sodium Nicotinate In The Treatment Of Headache, A.P. Friedman, C. Brenner, N.Y. J. Med. No. 48, 1948

123. Weiner's Herbal, Michael Weiner, (Mill Valley,

Ca.:1991) Quantum Books

124. Tackett Co., et al, N. England J. Med., 1988, 318(19)

125. Antifungal Activity Of Ajoene Derived From Garlic, Yoshida, S., Kasuga, S., Nayashi, N., et al. Appl. Environ. Microbiology 53, 1987

126. Antihepatotoxic Actions Of Allium Sativum Bulbs, Hikino, H., Kiso, Y., Mishimura, S., Planta Medica, 3, 1986

127. Garlic For Health, Benjamin Lau, (Wilmot, WI: 1988) Lotus Light Publications

128. Analyses comparatives effectuées sur une période de plus de trois années par Microscience Consulting (Beaverton, Oregon) et le Dr George Webber.

129. Toxicity Aspects Of Garlic, Osamu Imada, conférence présentée au First World Congress on the Health Significance of Garlic and Garlic Constituents, Washingston D.C., août 1990

130. Effect Of Some Garlic Components On Arachidonic Acid Metabolism And Platelet Aggregation, K.C. Srivastava, conférence présentée au First World Congress on the Health Significance of Garlic and Garlic Constituents, Washingston D.C., août 1990

131. How To Get Well, Paavo Airola, (Phoenix, Az: 1982) Health Plus Publishers

132. Anti-Oxydant, Pro-Oxidant, Anti-Free Radical, And Radiation Protective Properties Of Garlic Extracts, Robert I. Lin, conférence présentée au First World Congress on the Health Significance of Garlic and Garlic Constituents, Washingston D.C., août 1990

133. Antiviral And Anticryptococcal Properties Of Garlic: Clinical Studies, Yan Cai, J. Wang, conférence présentée au First World Congress on the Health Significance of Garlic and Garlic Constituents, Washingston D.C., août 1990

134. Anticandidal And Anticarcinogenic Potentials Of Garlic, P. Tadi, R. Teel, et B. Lau, International Clinical Nutrition Review, Octobre 1990

135. Bêta-Carotène, Centre d'information sur les vitamines, Hoffmann-La Roche Ltée., Décembre 1987

136. Simple Facts On The B-Complex, David Rutolo, The Digest of Chiropractic Economics, Mars/Avril 1979

137. The Biochemistry And Clinical Uses Of Vitamin B6, David Rutolo, The Digest of Chiropractic Economics, Juillet/Août 1980

138. New Concepts In The Biology And Biochemistry Of Ascorbic Acid, J. Flier, New Eng. J. Of Med., No. 14, 1986

139. Vitamin C Gets It All Together, David Rutolo, The Digest of Chiropractic Economics, Juillet/Août 1979

140. Dietary Carcinogens And Anticarcinogens, Bruce Ames, Science, Vol. 221, 1983

141. Alpha Tocopherol, An Effective Inhibitor Of Platelet Adhesion, J. Jandak, M. Steiner, P.D. Richardson, Blood, No. 73, 1989

142. Trace Elements In Biochemistry, H. Bowen, (New York:1966) Academic Press

143. Inorganic Chemistry Of Biological Processes, H. Hughes, (New York:1973) Wiley

144. Trace Elements In Human Health And Disease, A.S.

Prasad, (New York:1976) Academic Press

145. Trace Elements In Human And Animal Nutrition, E. J. Underwood, (New York: 1977), Academic Press

146. Nutritional Significance Of The Ultratrace Elements, Forrest Nielsen, Nutrition Reviews, Vol. 46, 1988

147. Zinc- A Brief Review Of Its Functions And Clinical Applications, David Rutolo, The Digest of Chiropractic Economics, Juillet/Août 1979

148. Mental And Elemental Nutrients, C.C. Pfeiffer, (New Canaan,Ct:1975) Keats Publ.

149. Evidence From Two Classic Irritation Tests For An Anti-Inflammatory Action Of A natural Extract, Echinacina B, E. Tragni, A. Tubaro, S. Melis, B. FD. CHEM. TOXIC., No. 23, 1985

150. Effect Of Silymarin On Chemical, Functional And Morphological Alterations Of The Liver, H. Salmi, S. Sarna, Scand. J. Gastroenterol., No. 17, 1982

151. Pathology Of Vitamin E Deficiency, dans Vitamin E - A Complete Treatise, L.J. Machlin, Ed., (New York:1980) Marchel Decker Inc.

152. The Amino Sugars, E.A. Balazs, (New York:1965) Academic Press

153. Mucopolysaccharides-Glycosaminoglycans-Of Body Fluids In Health And Disease, R. Varma, R.S. Varma, (New York:1983) W. de Gruyter

154. Decreased Incorporation Of 14C-Glucosamine Relative To 3H-N-Acetyl Glucosamine In The Intestinal Mucosa Of Patients With Inflammatory Bowel Disease, A.F. Burton,

F.H. Anderson, American Journal of Gastroenterology, 78, 1982

155. Anticoagulant And Lipid Regulating Effects Of Garlic, Benjamin Lau, dans New Protective Roles for Selected Nutrients, (1989) Alan R. Liss Inc.

156. Allicin Is A Mispromoted Substance, Willis R. Brewer, College of Pharmacy, University of Arizona

157. Unscientific Promotion Of Allicin In Garlic Hit By Researcher, Food Chemical News, 3 Sept., 1990

158. Beta-Carotene Is Associated With The Regression Of Hamster Buccal Pouch Carcinoma, J. Schwartz, D. Suda, G. Light. Biochem. Biophys. Res. Comm., 136, 1986

159. Effect Of B-Carotene And Canthaxanthin On The Immune Responses Of The Rat, A. Bendich, SS. Shapiro, J. Nutrition, 116, 1986

160. Effects Of B-Carotene And Retinyl Palmitate On Corn Oil-Induced Superoxide In Rats, S.R. Blakely, L. Slaughter, J. Adkins, J. Nutrition, 118, 1988

161. The Effect Of Vitamin B-6 On Host Susceptibility To Moloney Sarcoma Virus-Induced Tumor Growth In Mice, H.C. Hirkvliet, L.T. Miller, J. Nutrition, 114, 1984

162. Ascorbic Acid In Endocrine Systems, M. Levine, K. Morita, Vitamins and Hormones, 42, 1985

163. The Responses Of Selenium-Deficient Mice To Candida Albicans Infection, K. Boyne, J.R. Arthur, J. Nutrition, 116, 1986

164. Oral Evening-Primerose-Seed Oil Improves Atopic Eczema, S. Wright, J.L. Burton, Lancet, 20 Nov., 1982

165. Activation Of Macrophages By Ether Analogues Of Lysophospholipids, N. Yamamoto, B. Ngwenya, T. Sery, Cancer Immunol. Immunother., 25, 1987

166. Immunorestorative Effects In Elderly Humans Of Lipid And Protein Fractions From Calf Thymus: a Double-Blind Study, B. Jankovic, P. Korolijia, K. Isakovic, Annals of The National Academy of Sciences, 521, 1988

167. Restoration Of In Vivo Humoral And Cell-Mediated Immune Responses In Neonatally Thymectomized And Aged Rats By Means Of Lipid And Protein Fractions From Calf Thymus, B. Jankovic, P. Korolijia, K. Isakovic, Annals of The National Academy of Sciences, 521, 1988

168. Gut Fermentation (or the «Auto-brewery») Syndrome: A New Clinical Test With Initial Observations And Discussion Of Clinical And Biochemical Implications, A. Hunnissett, J. Howard, S. Davies, J. of Nutritional Medicine, 1, 1990

169. Do Allergies Represent Hypersensitivity Or Nutritionally Deficient Detoxification?, W. Holub, J. of Applied Nutrition, 31, 1979

170. Single-Nutrient Effects On Immunologic Functions, W. Beisel, R. Edelman, K. Nauss, J. of the Amer. Med. Ass., 245, 1981

171. Occupational Solvent Exposure And Neuropsychiatric Disorders, K. Lindstrom, H.Riihimaki, K. Hanninінen, Scand. J. Work Environ. Health, 10, 1984

172. Suggested Optimal Nutrient Allowances (SONAs) Cheraskin & Ringsdorf, University of Alabama Medical School, recommandations faites au Sénat Américain sur l'apport nutritionnel optimal. Les suppléments de Phoenix Nutrition sont fabriqués par Quest.

173. Nutritional And Pharmacological Properties Of Garlic, Robert I-San Lin, conférence présentée au Nutraceuticals and Pharmafoods Conference, 23 Jan., 1991

174. L'alimentation actuelle et ses conséquences, Alain Blondil, dans la méthode Kousmine, Association Médicale Kousmine, (La-Roche-Sur-Foron:1989)

175. The Applications Textbook, Hal Huggins, Copyright Hal Huggins, 1988

176. Evening Primerose, C. Briggs, Canadian Pharmaceutical Journal, Mai 1986

177. Garlic Revisited: Therapeutic For The Major Diseases Of Our Times?, T.H. Abdullah, O. Kandil, A. Elkadi, J. Carter, J. Natl. Med. Assoc., 80, 1988

Table des matières

Avant-Propos 7

Préface du Dr William Crook 9

1. Mise au point à propos des levures 12
2. Une maladie ou une mode? 14
3. Souffrez-vous de Candidose? 15
4. Pourquoi un livre sur le Candida? 16
5. Les levures 17
6. Quelques faits intéressants sur les levures 17
7. Utilisation des levures 18
8. Les levures dans notre organisme 18
9. La levure "candida albicans" 19
10. Les bactéries lactiques 20
11. Quelques faits sur les bactéries lactiques 20
12. Quelques bactéries lactiques 21
13. Le système immunitaire 22
14. Immunité et nutrition 23
15. Le problème: candida albicans 23
16. La cause du candida albicans 25
17. Les aliments dégénérés 26
18. L'alimentation moderne 28
19. Les médicaments 30

20. Les contraceptifs oraux 31
21. Les corticostéroïdes 32
22. Les substances intoxicantes 32
23. Comment déterminer si votre problème est relié au candida 33
24. Comment contrôler le candida 36
25. Affamer la levure 37
26. Le régime alimentaire pour la suppression du candida albicans 37
27. Équilibrer la flore intestinale 41
28. Il faut assurer l'hygiène du côlon avec des irrigations 43
29. Aider à refaire les muqueuses intestinales 44
30. Combler les carences particulières 46
31. La Vitamine A 46
32. Bêta-Carotène 46
33. Les vitamines du complexe B 48
34. Quelques faits sur la vitamine B 48
35. Comment choisir la vitamine du complexe B 49
36. La vitamine B3 50
37. La vitamine B6 52
38. La vitamine C 53
39. Quelle vitamine C choisir? 55
40. La vitamine E 55
41. Minéraux et oligo-éléments 57
42. Le chrome 57
43. Le magnésium 58

44. Le sélénium 58
45. Le zinc 59
46. Les meilleurs sources 60
47. Améliorer l'absorption avec des enzymes digestifs 63
48. Détruire la levure et les différents fongicides utilisés 64
49. Les différents fongicides utilisés 66
50. Quelques effets bénéfiques de l'ail 69
51. L'acide caprylique 69
52. La squalène ou alkylglycérol 70
53. Pau D'arco (Taheebo, Iperoxo, Lapacho) 71
54. Mathaché (amande tropicale) 71
55. Mise en garde touchant l'utilisation des plantes 72
56. L'extrait de graines de pamplemousse 72
57. Autres fongicides naturels utiles 74
58. La réaction de Herxheimer et le foie 75
59. Soutenir le système immunitaire 79
60. La phytothérapie et l'immunité 80
61. Le choix d'un produit 81
62. Les produits phytothérapeutiques 83
63. Le candida albicans et les allergies 84
64. Le candida albicans et l'hypoglycémie 85
65. Le candida et l'arthrite rhumatoïde 86
66. Le candida albicans et les dents 86
67. Message aux praticiens de la santé 86

68. Au niveau thérapeutique 88
69. Les radicaux libres 89
70. Les facteurs naturels de santé 90
71. L'exercice physique 91
72. Psyché et Soma 92
73. La spiritualité 93
74. Les facteurs environnementaux 94
75. Le repos 94
76. L'oxygénation 94
77. L'eau 95
78. L'ensoleillement 95
79. Que faire maintenant? 96

Lexique 99
Bibliographie et références 103